Gilles Néret

GUSTAV KLIMT

1862–1918

Benedikt Taschen Verlag

**Dieses Buch wurde gedruckt auf 100 % chlorfrei
gebleichtem Papier gemäß TCF-Norm.**

Originalausgabe
© 1993 Benedikt Taschen Verlag GmbH
Hohenzollernring 53, D-50672 Köln
Gestaltung: Peter Feierabend, Berlin
Umschlaggestaltung: Angelika Muthesius, Köln
Deutsche Übersetzung: Dorothea Schurig, Strande
Lektorat: Kira van Lil, Frankfurt
Satz: Utesch Satztechnik GmbH, Hamburg
Reproduktionen: Reprogesellschaft Lutz Wahl mbH, Berlin

Printed in Germany
ISBN 3-8228-0448-7

Inhalt

6

Wien zwischen Realität und Illusion

16

Sezessionistischer Symbolismus und Femmes fatales

36

Die Hymne an die Freude und der Beethovenfries

54

Die exotischen Mosaiken der Villa Stoclet

66

Das magische Kaleidoskop

82

Alle Kunst ist erotisch

92

Gustav Klimt 1862–1918: Leben und Werk

94

Bildlegenden

96

Anmerkungen

Wien zwischen Realität und Illusion

Das Wien Gustav Klimts – die Belle Epoque um die Jahrhundertwende – steht für eine der faszinierendsten Epochen der Kunst- und Kulturgeschichte. In dieser damals mit zwei Millionen Einwohnern viertgrößten Stadt Europas blüht die Kultur wie nirgendwo sonst. Zerrissen zwischen Realität und Illusion, Tradition und Moderne entwickeln Künstler und Intellektuelle eine enorme Schöpferkraft. Die Stadt ist ein »Laboratorium der Apokalypse«, eine letzte Blüte, ein letztes Aufbegehren vor dem Verfall. Namen wie Sigmund Freud, Otto Wagner, Gustav Mahler und Arnold Schönberg stehen dafür ein.

Das Bürgertum als herrschende gesellschaftliche Schicht wirkt wie ein Katalysator für diese kulturelle Blüte – berüchtigt für seinen Hang zum Pomp, seine prächtigen Bankette, seine krankhafte Vergnügungssucht.

Aus diesem »Laboratorium« erwächst auch die Kunst Klimts, und er bringt Visionen daraus hervor, die prall gefüllt mit Leben und sich zugleich immer auch des Todes bewußt sind; ein Ineinandergreifen von Tradition und Moderne, die Vereinigung einer vergehenden und einer sich ankündigenden Welt. Den Betrachter fasziniert es, die Sinnlichkeit seiner Zeichnung, die kaleidoskopartige Anlage seiner Werke, die Schönheit der Ornamentik und der Reiz, die Geheimnisse seiner Bilder zu entziffern. Vor allem aber ist der Betrachter gefesselt von Klimts Hauptthema: der Schönheit der Frauen.

»Alle Kunst ist erotisch«, erklärt Adolf Loos in »Ornament und Verbrechen«. Lange bevor die Geschichte dem Expressionismus und dem Surrealismus das Verdienst zugeschrieben hat, die Sexualität auf dem Gebiet der Kunst ganz offengelegt zu haben, macht Klimt sie schon zu seinem Credo, zum Leitmotiv seines Werkes. Die einerseits träge, andererseits überspannte Atmosphäre Wiens regt offenbar dazu an, die Erotik und die Frau, als ihr bestimmendes Element, in Szene zu setzen.

Klimt seinerseits malt Eva, die Frau schlechthin, in allen denkbaren, auch den gewagtesten Positionen. Sie verführt nicht durch den Apfel, sondern durch ihren Körper – sie stellt sich selbst zur Schau, steht einfach da, frontal, ohne Pose – einfach nur nackt – *Nuda Veritas* (Abb. S. 19). Klimt hat dazu beigetragen, einen Typus der Femme fatale, die kastrierende Frau, zu schaffen, wie sie etwa auch Aubrey Beardsley oder Fernand Khnopff thematisieren. Klimt zeigt sie in seinen offiziellen Porträts der Wienerinnen ebenso wie in Darstellungen der *Judith* oder *Salome* (Abb. S. 29), der *Danae* sowie in namenlosen Mädchen (*Die Jungfrau*, Abb. S. 71) oder allegorischen Personifikationen.

Der Blick ist in dieser Zeit auf die Erotik fixiert: Freud kann keinen aufgerichteten Gegenstand sehen, ohne ihn als schwellend zu interpretieren, und

Fabel, 1883
Klimt, der durch sein ganzes Werk hindurch die Frau besingt, gibt ihr schon in seinen ersten Gemälden die Hauptrolle. Hier posieren die braven Tiere als Ornamente zu Füßen der wunderbaren, sinnlichen Heldin, die deren Huldigung als ihr gebührend entgegennimmt.

Theater in Taormina, 1886–1888
Klimt ist fasziniert von dem Kopf der Wiener historischen Malerei, Hans Makart (1840–1884), nach dessen Tod er die Ausstattungsarbeiten im Treppenhaus des Kunsthistorischen Museums weiterführt. Hier wird der junge Klimt weniger von Makarts Rokokostil inspiriert, sondern von dessen barocker Liebe zu üppiger Gestaltung.

Griechische Antike II
(Mädchen aus Tanagra), 1890/91
Indem er das antike Griechenland in der zeitgenössisch anmutenden Gestalt einer Wiener
Kokotte mit schweren Lidern darstellt, zeigt
Klimt, daß er sich vom Akademismus entfernt und schon beginnt, an der heuchle-
rischen Wohlanständigkeit der Epoche zu
rütteln. Tatsächlich handelt es sich um den
Entwurf für das erste Porträt einer »Femme
fatale« . . .

keine Öffnung, ohne das Eindringen zu thematisieren. Selbst Adolf Loos mit
seiner ornamentfeindlichen, auf Orthogonale reduzierten Kunst bezieht die
horizontalen Linien auf die Frau und die vertikalen auf den Mann.

In Klimts Welt tauchen überall Pollen und Pistille, Samen- und Eizellen auf;
an den Körpern, den Gewändern und selbst in Darstellungen der Natur.
Bisweilen werden seine Werke begeistert aufgenommen, er wird bejubelt und
sogar zum beliebtesten Porträtmaler der Frauen der Wiener Gesellschaft. Und
doch stößt die unverhohlene Erotik in seinen Werken, gerade im dekadenten
Wien in einer Epoche heuchlerischer viktorianischer Repression, nicht selten
auf erbitterte Ablehnung; Skandale sind an der Tagesordnung – so um seine
Gemälde zur Ausstattung der Wiener Universität, die schließlich entfernt
werden müssen. Und so verleiht Kaiser Franz Joseph Klimt zwar das Goldene
Verdienstkreuz, verweigert aber dreimal seine Ernennung zum Professor an
der Akademie.

Klimt begehrt auf: »Genug der Zensur . . . Ich will loskommen . . . Ich lehne
jede staatliche Hilfe ab, ich verzichte auf alles.«[1] Er will von großen staatlichen
Aufträgen unabhängig werden, konzentriert sich daher auf bürgerliche Porträts und Landschaften. Er versteht es, in diesen Porträts unter dem Schein des
Respektablen doch das zu malen, was ihn fast ausschließlich interessiert – die
betörende Erotik der Frauen und die Allgegenwart des Eros. Die Porträts
wissen ihre Auftraggeber zu befriedigen. Um den Schein zu wahren, kleidet er
die Frauen, die er nicht nackt malen kann, in üppige Gewänder, die ihre
Nacktheit verbergen und doch nur um so mehr auf sie aufmerksam machen.
Blumenmotive und Ornamentik aber sind beruhigende Feigenblätter für die
jugendstilbegeisterte Gesellschaft. Die Gestaltung der Bilder in der Art der
byzantinischen Mosaiken von Ravenna flößt Ehrfurcht ein, und viele Details
lenken den Blick von der eigentlichen Aussage ab: wallende Frisuren, stilisierte
Blumen, geometrisches Dekor, extravagante Hüte, riesige Pelzmuffs. Aber
gerade diese Zugaben verstärken nur die erotische Ausstrahlung der Frauen,
setzen sie in Szene. Bevor er die Frauen in seinen Bildern in Gewänder hüllte,
malte er sie offenbar nackt. Beim Tode des Künstlers enthüllte eine unvollen-
dete Leinwand dieses Geheimnis – *Die Braut* (Abb. S. 91). Selbst der Orient
mit seinem Bestiarium von Vögeln, Tieren, Blumen, exotischen Menschen
wird für den Dekor herangezogen. In den letzten Werken sind es Kurven und
Spiralen, pyramidenförmige Kompositionen, mystische Strudel, grellfarbige
Häufungen, die die Bilder überschwemmen. So entsteht durch den unter-
schiedlichsten Dekor um die Dargestellten herum eine eigene Welt, die zu den
Geheimnissen des Unbewußten und den Labyrinthen des Geistes entführt.

Wenn heute der Wiener Maler Hundertwasser ein Thema sucht, so hält er
sich, wie er zugibt, an das Detail eines von Klimt gemalten Kleides. Dieses
vergrößert er auf das Format seiner Leinwand und schafft daraus mit Hilfe
»transautomatischer« Wiederholungen – wie er sie nennt – eine finstere Welt
der Obsession. Damit steht er in der Tradition Klimts, dessen Formen den
Betrachter ebenfalls in eine unbekannte Welt zu entführen vermögen.

In Museen sind die am meisten verkauften Farbreproduktionen die der
Werke Gustav Klimts. Seine phantastische Welt gilt heute nicht mehr allein als
Ausdruck der Dekadenz einer Gesellschaft, sondern sein graphischer Stil wird
vielmehr auch als wegbereitend für die Moderne gewürdigt.

Klimts Herkunft ist in mancher Hinsicht einflußreich für seine Kunst gewesen. Er war, am 14. Juli 1862 in Baumgarten bei Wien geboren, das zweite von

sieben Kindern eines Graveurs und Ziseleurs, eines gewissenhaften, aber armen Handwerkers. Sein jüngerer Bruder Ernst wurde ebenfalls Graveur und arbeitete bis zu seinem Tode 1892 immer wieder mit Gustav zusammen.

Mit kaum 14 Jahren wird Gustav Klimt bereits Schüler der Kunstgewerbeschule in Wien. Sieben Jahre lernt er dort mit seinem Bruder Ernst und Franz Matsch bei Professor Ferdinand Laufberger die verschiedensten Techniken, vom Mosaik über Malerei bis zum Fresko. Als Trio arbeiten die drei so gut zusammen, daß Laufberger ihnen Ausstattungsaufträge vermitteln kann.

1880 nehmen sie erste offizielle Arbeiten in Angriff: die vier Allegorien des Palais Sturany in Wien und die Deckengemälde im Kurhaus in Karlsbad. Klimts Stil jener Epoche erinnert an die Virtuosität des Barock und basiert vor allem auf der Adaption der Antike in der Art Hans Makarts, dem Maler-Star im damaligen Wien. An seiner Seite übertragen die drei Schüler Laufbergers einige Holzschnitte Dürers zum Triumphzug Maximilians I. auf große Dekora-

Zuschauerraum im alten Burgtheater, Wien, 1888
Das Theater als Ort, an dem Realität und Illusion aufeinandertreffen, bietet Klimt die Gelegenheit, die Zuschauer in die Rolle der Schauspieler schlüpfen zu lassen: Was ist Realität, was bloßer Schein?

Bildnis des Pianisten und Klavierpädagogen
Joseph Pembauer, 1890
Dieses Porträt ist typisch für die fotografische
Manier, in der Klimt nun die Gesichter malt.
Hier haben wir es mit einem Hyperrealismus
vor seiner Zeit zu tun.

tionen zu Ehren der Silberhochzeit von Kaiser Franz Joseph. Dieser erste
Kontakt Klimts mit der Welt Dürers bietet ihm ein reiches ikonographisches
Repertoire, das er später aufnehmen und weiterentwickeln wird. In den ersten
Bildern wie *Die Fabel* (Abb. S. 7) bleibt er noch ganz der Konvention verhaftet.
Die Tiere liegen zu Füßen der entzückenden sinnlichen Heldin und dienen
einzig dazu, diese erste, üppige Eva zur Geltung zu bringen.

1886 wird das Burgtheater fertiggestellt. Das Trio hat den Auftrag, Szenen
der Geschichte des Theaters an den Giebel und die Decken der Treppenhäuser
zu malen. Hier löst sich das Werk Klimts deutlich von dem seiner beiden
Freunde. Er begnügt sich nicht mehr mit klassischen Motiven, sondern fügt in
diese fotografische, realistische Porträts ein – und bringt so seine eigene Zeit in
die Werke ein, wie etwa in *Das Theater in Taormina* (Abb. S. 6).

Man muß sich immer vor Augen halten, daß Klimt der Sohn eines Ziseleurs
ist und die verschiedensten Techniken von Grund auf kennt. Er verbringt viele
Stunden im Kaiserlichen Museum beim Studium der Sammlung antiker Vasen

Damenbildnis (Porträt Frau Heymann?), um
1894
Die kühle Reserviertheit dieses Frauenporträts macht es noch nicht zu einer Femme
fatale, aber schon zu einer Freudschen
kastrierenden Frau.

und kopiert Bilder wie Tizians *Isabella d'Este*. All das bedingt seine außeror-
dentliche technische Fertigkeit. Seine Malerei hat von Anfang an nichts Unge-
lenkes. So schätzt man sehr schnell seine eleganten Allegorien, seine optischen
Täuschungen, seinen noch barocken Stil – Elemente, die sein Werk auch
weiterhin kennzeichnen werden.

  Hans Makart (1840–1884), das strahlende Oberhaupt der Wiener Historien-
malerei, übt große Faszination auf den jungen Maler aus. Bei seinem frühen
Tod im Alter von 44 Jahren läßt Makart seine Ausstattung des Treppenhauses
des Kunsthistorischen Museums unvollendet zurück. Dem Trio fällt die zwei-
felhafte Ehre zu, seine Nachfolge anzutreten. In seinem verlassenen Atelier
können die drei Freunde in Ruhe die gigantischen Werke betrachten, die er in
Arbeit hatte. Acht Zwickel- und drei Interkolumnenbilder vertraut man ihnen
an, auf denen die Kunstgeschichte vom Alten Ägypten bis zum Florenz des
Cinquecento dargestellt werden soll. Für Klimt ist dies ein Moment intensiver
Suche: Da bleibt einerseits die Herausforderung, die Antike zu adaptieren,

Reinzeichnung für die Allegorie *Skulptur*, 1896
Die zahlreichen zitierten Beispiele der Bildhauerkunst aus allen Epochen erscheinen als tote, blicklose Wesen. Die eigentliche Personifikation der »Skulptur« jedoch stellt Klimt so dar, als ob sie direkt dem Leben entstiegen sei, mit lebendigen Augen den Betrachter verführerisch anblickend. Diese Lebensnähe sollte zu einem Grundzug von Klimts Kunst werden.

ohne in Akademismus zu verfallen, und andererseits beginnt hier eine stilistische Entwicklung hin zu den symbolistischen, dekorativen und floralen Themen, die zu Klimts Manifest werden sollten, das er 1892 bei der Internationalen Ausstellung der Musik und des Theaters proklamieren wird.

An Makart faszinieren den jungen Künstler nicht die Rokokoanklänge, sondern die echt barocken, üppigen Ausstattungen und Figurengestaltungen. Dieser Einfluß hält lange vor und wird immer deutlicher dort, wo Klimt sich mit dem von Freud so benannten Komplex des »horror vacui« auseinandersetzt und mit einer Überfülle an Formen den Hintergrund seiner Bilder bis zum Äußersten anfüllt. In der Gouache *Zuschauerraum im alten Burgtheater, Wien* (Abb. S. 9) klingt dieser »horror vacui« schon deutlich an – jeder Millimeter der Leinwand ist durch ein Detail oder eine Person ausgefüllt. Zu erwarten gewesen wäre bei diesem Thema eine Ansicht der Bühne vom Eingang aus. Klimt dagegen entscheidet sich für die Darstellung des Zuschauerraumes von der

Entwurf für die Allegorie *Tragödie*, 1897/98

Bühne her gesehen und kehrt so die Realitäten um, indem er die Zuschauer in den Rang von Schauspielern erhebt. Die Personen arbeitet er perspektivisch heraus und stellt sie wie zu einer Parade auf. Jeder scheint aus einem individuellen Porträt herauszutreten, verkleidet für einen Maskenball.

Erste Porträtaufträge erreichen die drei Freunde recht früh – somit war Klimt etabliert und abgesichert. Die Porträts fertigten sie – was großen Anklang fand – nach Fotografien an. Eine gewisse fotografische Genauigkeit der Gesichter wird für Klimt immer charakteristisch bleiben. Das *Bildnis des Pianisten und Klavierpädagogen Joseph Pembauer* (Abb. S. 10) ist typisch für diese fotografischen Porträts, die geradezu hyperrealistische Züge tragen. Doch will Klimt hier auch seine gerade erworbenen Kenntnisse der klassisch-antiken Formen einbringen. So bemalt er den breiten Rahmen mit antiken Elementen, z.B. dem Orakel von Delphi, die quasi das Porträt kommentieren. Der Rahmen wird so zum Bestandteil des Bildes. Dabei sind sowohl der

Die Musik I, 1895

Die Musik II, 1898

dekorative Aspekt des gestalteten Rahmens als auch dessen symbolische
Bedeutung von Belang. Das Übermaß an Dekor hat jedoch auch das Ziel, die
Personen stärker zur Geltung zu bringen.

Von Anfang an hat Klimt die Grenze der Wohlanständigkeit zu überschreiten gewagt, die ihm die Wiener Heuchelei setzte. Unter den elf allegorischen
Figuren für das Kunsthistorische Museum sollte auch die des antiken Griechenland dargestellt werden. Unschwer läßt sich jedoch in dem *Mädchen aus
Tanagra* (Abb. S. 8) eine Wiener Kokotte erkennen, mit schweren Lidern, wie
ein »leichtes Mädchen« geschminkt – zeitgenössisch. Wenn auch hinter dem
Mädchen eine griechische Amphore den historischen Bezug unterstreicht, so
ist dies doch Klimts erste Femme fatale. Und daran nimmt die gute Gesellschaft
Anstoß. Auch die Personifikationen der *Skulptur* (Abb. S. 12), der *Tragödie*
(Abb. S. 13) und der *Die Musik I* und *II* (Abb. S. 14/15) wirken trotz ihres
klassischen Vokabulars mit vielen antiken Zitaten eindeutig wienerisch mit
ihren aufgebauschten Haaren und ihrer Miene von Halbweltdamen . . .

Schon in Platons »Gastmahl« heißt es, es gebe zwei Arten der Venus, die
himmlische und die vulgäre. Auch Renoir unterschied: »Die nackte Frau steigt
aus dem Meer oder aus dem Bett; sie heißt Venus oder Nini, etwas Besseres
kann man nicht erfinden . . .« Der akademische, stark idealisierte Akt, vor
allem wenn er einer historischen Aussage dienen soll, wird vom Publikum
gefeiert. Dagegen entzündet eine entkleidete, liebesbereite Frau aus dem
alltäglichen Leben einen Skandal. Vor Klimt hatte sich schon Edouard Manet
mit seiner *Olympia* Haß und Kritik ausgesetzt. Auch sie war eben keine Venus,
sondern eine Nini, glich zu sehr der Kurtisane an der nächsten Ecke – und war
eben nicht idealisiert wie Tizians Mätressen, die sich als mythische Göttinnen
»tarnten«. Aus dem Leben gegriffen durften die Frauen-Idole nicht sein – nicht
im Paris Manets und nicht im Wien Gustav Klimts.

Die Musik (Lithographie), 1901
»Er hat wie ein Barocker gemalt, aber das
Ergebnis war griechisch«. Dieser Franz von
Stuck charakterisierende Satz kann auch auf
Klimt angewandt werden, der sich tatsächlich
eines ganz und gar klassischen Vokabulars
voller Zitate bedient. Doch seine große Kunst
besteht darin, die Figuren zum Leben zu
erwecken.

Sezessionistischer Symbolismus und Femmes fatales

»Wir wollen der sterilen Routine, dem starren Byzantinismus, allen Formen des schlechten Geschmacks den Krieg erklären . . . Unsere Secession ist nicht ein Kampf moderner Künstler gegen alte, sondern ein Kampf um die Höherstellung der Künstler gegenüber den Hausierern, die sich als Künstler ausgeben und die ein kommerzielles Interesse daran haben, daß die Kunst nicht aufblühen kann.«[2] Diese Erklärung von Hermann Bahr, dem geistigen Vater der Secessionisten, kann als Motto für die Gründung der Wiener Secession 1897 gelten, an deren Spitze sich Klimt als Präsident stellt.

Die neue Künstlergeneration erträgt nicht länger die Bevormundung durch die Anhänger des Akademismus und fordert einen Ausstellungsort, der ihr angemessen und frei vom »Marktcharakter« sein soll. Sie will der kulturellen Isolierung Wiens ein Ende setzen, ausländische Künstler einladen und die Werke ihrer eigenen Mitglieder in anderen Ländern bekannt machen. Das Programm der Secession ist klar – es handelt sich nicht nur um einen »ästhetischen« Streit, sondern auch um einen Kampf für das »Recht künstlerischen Schaffens«, für die Kunst selbst, um die Unterscheidung zwischen »großer Kunst« und »untergeordneten Kunstgattungen«, »der Kunst für die Reichen und der für die Armen«, kurz zwischen »Venus« und »Nini«, zu beenden.

Als stilistische Gegenströmung gegen den offiziellen Akademismus und den bürgerlichen Konservatismus kommt der Wiener Secession eine zentrale Rolle für die Entwicklung und Verbreitung des Jugendstils zu, sowohl in der Malerei als auch auf dem Gebiet der angewandten Kunst. Diese Revolte der jungen Generation, die sich aus dem Zwang befreien will, den ein sozialer, politischer und ästhetischer Konservatismus auf die Kunst ausübt, bricht sich mit einer solchen Gewalt Bahn, daß sie von einem fast unmittelbaren Erfolg gekrönt ist und schließlich in ein utopisches Vorhaben mündet: die Umwandlung der Gesellschaft mit Hilfe der Kunst!

Die Secession veröffentlicht eine eigene Zeitschrift, »Ver Sacrum«, an der Klimt zwei Jahre lang regelmäßig mitarbeitet, und sie verwirklicht nach erfolgreichen Ausstellungen im Ausland den Bau des Secessionsgebäudes für Ausstellungszwecke. Auch Klimt fertigt hierfür einen Entwurf an, der sich an Formen griechisch-ägyptischer Tempel orientiert. Doch war es der Architekt Joseph Maria Olbrich, der den Kunsttempel schließlich verwirklichte. In seinem Konzept setzt dieser sich aus geometrischen Elementen vom Kubus bis zur Kugel zusammen. Am Giebel ist der berühmte Spruch des Kunstkritikers Ludwig Hevesi zu lesen: »Der Zeit ihre Kunst, der Kunst ihre Freiheit«.

Man erwartet ungeduldig die erste Ausstellung der Gruppe. Sie öffnet ihre

Sonja Knips, 1911
Foto: anonym

Bildnis Sonja Knips, 1898
Auf dem Porträt dieser jungen Dame von Welt gibt Klimt seinem Sujet schon den Ausdruck hoheitsvoller Distanz, den von nun an seine Femmes fatales zeigen sollen. Auf dem 13 Jahre später entstandenen Foto (oben) haben sich die Gesichtszüge vergröbert.

Pallas Athene, 1898
Hier verwendet Klimt zum erstenmal Gold. Die schwelgerische Ornamentik unterstreicht den Erotismus, den Klimt zu einem Teil seiner Weltsicht gemacht hat.

Schubert am Klavier, 1899
Der ungefährliche Klimt, den man in Wien bewundert, mit dem vom sentimentalen Bürgertum bevorzugten Komponisten als Zugabe.

Nuda Veritas, 1899
Diese wahrhaftige, 2 Meter große Frau wirkt mit ihrer provozierenden und ausdrucksvollen Nacktheit auf das Wiener Publikum verwirrend und herausfordernd. Allein die Schambehaarung ist eine Kriegserklärung an das klassische Ideal.

Tore im März 1898. Klimt hat dafür ein symbolträchtiges Plakat entworfen: »Theseus und Minotaurus«. Theseus trägt bewußt kein Feigenblatt, und Klimt muß daraufhin dem Schamgefühl des Zensors zuliebe einen Baum herbeibemühen. Doch der nackte – oder fast nackte – Theseus symbolisiert den Kampf für das Neue, er ist auf der Seite des Lichts, während der Minotaurus – sich schamhaft in den Schatten flüchtend und vom Schwert des Theseus durchbohrt – die von nun an gebrochene Macht repräsentiert. Die wachende Athene ihrerseits, dem Schädel des Zeus entsprungen, ist die Inkarnation des aus dem Gehirn hervorsprudelnden Geistes – Symbol der göttlichen Weisheit.

Keine Kunst ohne Mäzene, und die Secession findet die ihrigen vor allem unter den jüdischen Familien des Wiener Bürgertums. Sie fördern insbesondere die avantgardistische Kunst – etwa der Stahlmagnat Karl Wittgenstein, der Textilmagnat Fritz Wärndorfer, die Knips oder die Lederers. Sie werden auch Klimts Auftraggeber, der sich auf Porträts ihrer Ehefrauen spezialisiert.

Das *Bildnis Sonja Knips* (Abb. S. 17) eröffnet diese neuartige Galerie von Ehefrauen. Die Knips sind mit der Metallindustrie und der Kreditanstalt verbunden. Josef Hoffmann hat ihr Haus entworfen, und Klimt hat es mit Gemälden ausgestattet – in der Mitte des Salons, als Zentrum des Hauses, das 1898 entstandene Porträt Sonjas. In diesem Porträt vereinigt Klimt verschiedene Stilarten. Man weiß, daß er die bildhafte Übertreibung von Makart schätzte, und so läßt er sich von dessen *Charlotte Walter als Messalina* für Sonjas Pose inspirieren – er übernimmt die asymmetrische Stellung der Figur

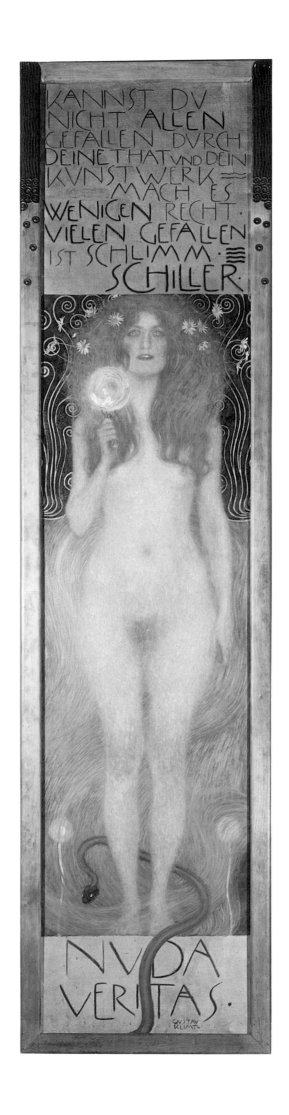

Zwei Studien eines stehenden Aktes, 1897/98

Medizin (Kompositionsentwurf), 1897/98
»Kannst du nicht allen gefallen durch deine
That und dein Kunstwerk, mach es wenigen
recht. Vielen gefallen ist schlimm.« Diesen
Satz Schillers scheint Klimt zu seinem eigenen
gemacht zu haben, so sehr wird die *Medizin*
als Provokation empfunden.

und die Hervorhebung der Silhouette. Für die Behandlung des Kleides dagegen orientiert er sich an Whistlers hellem Strich, was in seinem Werk jedoch
eher eine Ausnahme darstellt. Ein typischer Klimt ist jedoch der Ausdruck
stolzer Distanz, den er dieser großbürgerlichen Frau gibt und den wir von nun
an bei seinen Femmes fatales immer wieder finden werden.

Eines der großen Themen des Fin de siècle ist die Beherrschung des Mannes
durch die Frau. Der »Kampf der Geschlechter« beherrscht die Salons, in denen
auch Künstler und Intellektuelle verkehren. Klimts *Pallas Athene* von 1898
(Abb. S. 16) ist das erste »Superweib« seiner Galerie von Frauen, der Archetyp
– gepanzert und bewaffnet unterwirft sie siegessicher den Mann, vielleicht
sogar die ganze Menschheit. Hier tauchen Elemente auf, die für das weitere
Werk bestimmend werden – wie die Verwendung von Gold, die Verwandlung
der Anatomie in Ornamentik und der Ornamentik in Anatomie. Klimt bleibt
ganz dem Äußeren verhaftet, im Gegensatz zu der jungen expressionistischen
Generation, die unmittelbar zu »Psyche« und Gefühl vordringen will. Klimts

Fischblut, 1898

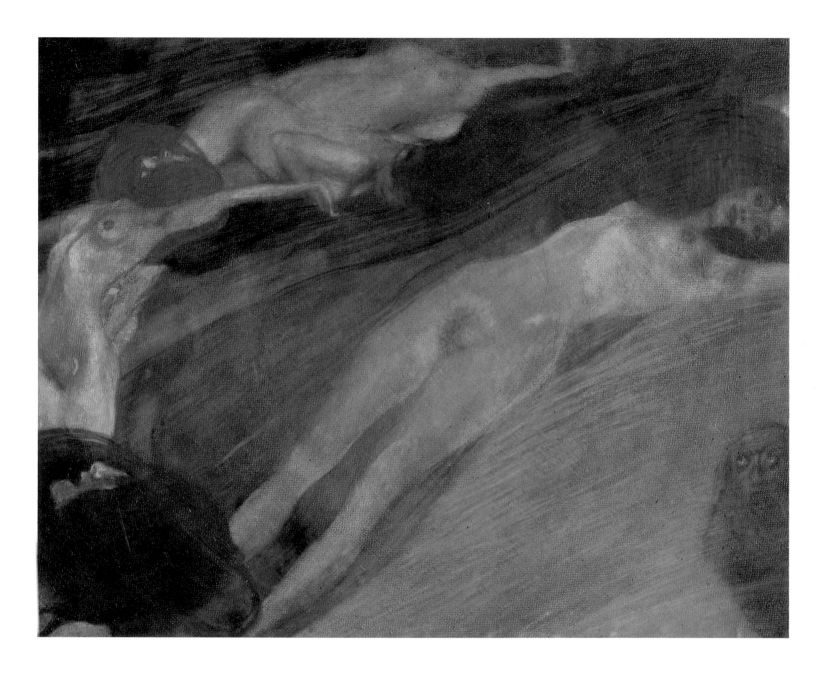

visuelle Sprache nimmt ihre – männlichen und weiblichen – Symbole aus der Freudschen Bildwelt der Träume. Diese wollüstigen Verzierungen spiegeln den Erotismus wider, den Klimt zu einem Teil seiner Weltsicht gemacht hat.

Dieser Erotismus provoziert eine fortwährende Polemik, wie sie sich an den drei Entwürfen für die Aula der Universität entzündete. Diese Werke wurden von vielen als skandalös empfunden. 1899 legt Klimt die endgültige Fassung der *Philosophie* (Abb. S. 22) als erstes der drei Bilder vor. Der Entwurf dafür war zum erstenmal auf der Weltausstellung in Paris gezeigt worden. Obwohl das Werk in Paris wohlmeinende Rezensionen bekam und sogar mit der Goldmedaille der Weltausstellung bedacht wurde, machte die heimische Prüfungskommission das Werk zum Gegenstand eines derartigen Skandals, daß damit die gesamte Wiener Kultur in den Schmutz gezogen wurde. Klimt hatte jedoch, wie es scheint, nur die besten Absichten. Die *Philosophie* war für ihn wohl die Synthese seiner Weltanschauung und seiner Suche nach einem eigenen Stil. Er äußert sich hierzu im Katalog: »Links Figurengruppe: das Entste-

Bewegtes Wasser, 1898
Lasziv geben sich Klimts Fischfrauen den Umarmungen des nassen Elements hin, das ihrem Wesen entspricht.

Akt eines Greises mit vorgehaltenen Händen, Studie für die *Philosphie*, 1900–07

Übertragungsskizze für die *Philosophie*, 1900–07

Philosophie, 1899–1907
Wie in Trance gleiten die Menschen dahin, ohne Kontrolle über sich selbst. Klimt widersprach damit der herrschenden universitären Wissenschaftsauffassung – und somit auch der Universität, die diese Wanddekoration in Auftrag gab. So kamen diese frühen Werke einem Affront gleich.

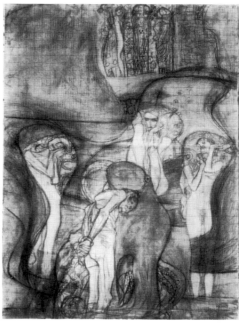

Jurisprudenz, 1903–07
Statt den siegreichen Kampf des Lichts gegen
die Finsternis darzustellen, wie man es erwar-
tete, hat Klimt die Verunsicherung des
modernen Menschen zum Ausdruck
gebracht.

Übertragungsskizze für die *Jurisprudenz,*
1903–07

Medizin, 1900–07
Klimt ist von der Machtlosigkeit der Medizin
gegenüber den Mächten des Schicksals überzeugt. Dies löst eine tiefe Verwirrung der
Betrachter aus – man ist schockiert und
bezichtigt den Maler der »Pornographie«
bzw. »übertriebener Perversion«.

Übertragungsskizze für die **Medizin**, 1901–07

hen, das fruchtbare Sein, das Vergehen. Rechts: die Weltkugel als Welträtsel.
Unten auftauchend eine erleuchtete Gestalt: das Wissen.«[3]

In der österreichischen Hauptstadt aber protestieren die würdigen Professoren der Universität wütend gegen das, was sie als Attacke gegen die Orthodoxie
empfinden. Sie hatten bei dem Maler ein Bild in Auftrag gegeben, das den
Triumph des Lichts über die Finsternis zum Ausdruck bringen sollte. Statt
dessen lieferte der Künstler ihnen die Darstellung des »Sieges der Finsternis
über alle«. Klimt, der unter dem Einfluß der Lektüre Schopenhauers und
Nietzsches auf seine Art das metaphysische Rätsel der menschlichen Existenz
zu lösen und die Verwirrung des modernen Menschen auszudrücken suchte,

Hygieia (Detail aus *Medizin*), 1900–07
Selbst Hygieia, die Göttin der Gesundheit,
wendet den Menschen den Rücken zu und ist
mehr Femme fatale und Zauberin als auf-
geklärtes Symbol der Wissenschaft.

hatte die Fakten umgekehrt. Er hatte nicht gezögert, tabuisierte Themen zu
behandeln wie z.B. Krankheit, körperlichen Verfall, Armut in all ihrer Häßlichkeit – während es doch bis dahin üblich gewesen war, die Realität zu
sublimieren und sie beschönigend zu idealisieren.

Das Leben und sein erotischer Ausdruck konzentrieren sich immer auf einen
Kampf zwischen Eros und Thanatos, und Klimt ist davon durchdrungen. Mit
der Allegorie der *Medizin*, dem zweiten Fakultätsbild, provoziert er wiederum
einen Skandal. Der Strom des Lebens führt die vom Schicksal fortgerissenen
Leiber mit sich. In ihm sind alle Lebensphasen von der Geburt bis zum Tod
vereinigt, der Ekstase oder dem Schmerz unterworfen. Diese Vision muß

*Nach dem Regen (Garten mit Hühnern in
St. Agatha)*, 1899
Das Werk des Landschaftsmalers Klimt ist
ebenfalls wichtig und aufschlußreich für seine
Kunst. Hier hebt er die Hühner reliefartig
hervor, die als Symbole der Fruchtbarkeit der
Natur der erotischen Syntax seiner Porträts
entsprechen.

Nixen (Silberfische), um 1899
Mit diesen aquatischen Formen tritt man in
eine Welt sexueller Evokationen und Bezüge
ein, deren Anspielungen mit der Symbolik
Freuds gleichgesetzt worden sind.

erniedrigend wirken, da sie die Ohnmacht der Medizin gegenüber den unbe-
zähmbaren Kräften des Schicksals betont, statt sie als heilbringende Macht zu
feiern. Wendet nicht *Hygieia* (Abb. S. 25), die Göttin der Gesundheit, den
Menschen den Rücken zu, gleichgültig, hieratisch, mehr rätselhafte Femme
fatale, mehr Zauberin als Symbol der aufgeklärten Wissenschaft? Sind nicht
diese mit Skeletten vermischten bezaubernden Mädchenleiber eine unmittel-
bare Illustration der Parabel Nietzsches von der »ewigen Wiederkehr«, nach
der der Tod der Angelpunkt des Lebens ist? In der *Philosophie* und in der
Medizin drückt sich eine Weltsicht Klimts aus, die er mit Schopenhauer teilt:
»Die Welt als Wille, als blinde Kraft in einem endlosen Kreisen von Gebären,
Liebe und Tod.«[4]

Das dritte Werk für die Universität, die *Jurisprudenz* (Abb. S. 23), wurde
ebenso feindlich aufgenommen – man war schockiert wegen der Häßlichkeit
und Nacktheit, die man darin zu sehen glaubte. Ein einziger unter den Profes-
soren, Franz von Wickhoff, Inhaber des Lehrstuhls für Kunstgeschichte an der
Wiener Universität, verteidigte Klimt in einer legendären Vorlesung mit dem
Titel »Was ist häßlich?«. Doch der von Klimt verursachte Skandal wurde
Gegenstand einer Anfrage im Abgeordnetenhaus! Man beschuldigte den
Maler der »Pornographie« und eines »Übermaßes an Perversion«.

In dem Bild *Jurisprudenz* wird augenscheinlich die Sexualität nach Freud-
scher Manier in Anlehnung an dessen Forschungen zum Unbewußten behandelt. Klimt, welche Schande!, wagt es, die Sexualität als befreiende Kraft im
Gegensatz zur Wissenschaft mit ihrem beengenden Determinismus darzustellen. Man hatte aber von ihm eine Verherrlichung der Wissenschaften erwartet!
Klimt scheint das Zitat aus Vergils »Äneis« in die Praxis umzusetzen, das Freud
seiner »Traumdeutung« voranstellt: »Kann ich die Götter mir nicht erweichen,
so lock' ich die Hölle.«

Klimt läßt sich jedoch durch die lautstarke Opposition nicht einschüchtern
und in seinem Weg nicht beeinträchtigen. Als einzige Antwort auf die heftigen
Kritiken malt er ein Bild, das er zunächst *An meine Kritiker* nennt und später
unter dem Titel *Goldfische* (Abb. S. 34) ausstellt. Es treibt die allgemeine Wut
auf einen Höhepunkt: die schöne, fröhliche Najade im Vordergrund dreht
doch tatsächlich dem Betrachter ihren Hintern zu! Diese aquatischen Formen
locken in eine Welt der Evokationen und Andeutungen, die sexueller Natur
sind und mit der Symbolik Freuds gleichgesetzt wurden. Es ist eine Welt, die
sich uns schon in *Bewegtes Wasser* (Abb. S. 21) und *Nixen (Silberfische)*
(Abb. S. 27) eröffnet hat und die man einige Jahre später in *Wasserschlangen I*
(Abb. S. 46) und *Wasserschlangen II* (Abb. S. 47) wiederfindet. Der Jugendstil
liebt die Welt des Wassers, wo dunkle und helle Algen auf Venusmuscheln
wachsen oder zwischen zweischaligen Muscheln zartes Fleisch in der Farbe
tropischer Korallen schimmert. Es sind sprachliche Zeichen, die uns unaus-
weichlich zu ihrem Ursprung führen: der Frau. In solchen Wasserträumen
werden die Algen zu Kopf- und Schamhaaren. Diese »Fischfrauen« Klimts
stellen ihre humide Sinnlichkeit ohne Umschweife zur Schau. Sie wogen mit
den Strömen in sich schlängelnden Linien, dem ureigensten Ausdruck des
Jugendstils. Lasziv und provozierend geben sie sich den Umarmungen des
nassen Elementes hin, so wie sich *Danae* (Abb. S. 64) dem in einen Goldregen
verwandelten Erguß des Zeus öffnet.

Klimt ist durch seine »Ehefrauenporträts« finanziell unabhängig und daher
nicht gezwungen, sich den Forderungen des Ministeriums zu beugen oder

Anna Bahr-Mildenberg als Klytämnestra in
»Elektra« von Richard Strauss, 1909

Judith I, 1901
Die Assoziation von Tod und Sexualität, von
Eros und Thanatos hat nicht nur Klimt und
Freud fasziniert, sondern das ganze Europa
der damaligen Zeit, das schauernd dem
Schauspiel der blutdürstigen Klytämnestra in
der Oper von Richard Strauss beiwohnte.

mitanzusehen, wie seine lang erdachten und meisterhaft ausgeführten Werke in den Schmutz gezogen werden. Er schlägt vor, seine Kompositionen gegen Rückgabe der schon erhaltenen Honorare zurückzuziehen. Gegenüber der Wiener Journalistin Bertha Zuckerkandl erklärt er: »Die Hauptgründe, die mich zur Rückgabe meiner Deckengemälde bestimmten . . . sind nicht in einer Verstimmung zu suchen, welche die verschiedenen Angriffe . . . in mir hervorgerufen haben könnten. Das alles hat mich seinerzeit sehr wenig berührt, und ich hätte meine Freudigkeit an dem Auftrag nicht verloren. Ich bin gegen Angriffe überhaupt sehr unempfindlich. Um so empfindlicher bin ich aber in dem Augenblicke, wo ich fühle, daß mein Auftraggeber nicht mit meiner Arbeit zufriedengestellt ist. Und dies ist eben der Fall mit den Deckengemälden.«[5] Das Ministerium war schließlich einverstanden, und der Industrielle August Lederer zahlte einen Teil der Honorare im Austausch gegen das Bild *Philosophie* zurück. Koloman Moser kaufte seinerseits im Jahre 1907 *Medizin* und *Jurisprudenz*. Um sie vor den Gefahren des Zweiten Weltkriegs zu schützen, wurden sie in den Süden Österreichs ausgelagert – wo sie mit Schloß Immendorf verbrannten, das am 5. Mai 1945 von SS-Leuten auf dem Rückzug angezündet wurde. Eine Vorstellung von den drei skandalträchtigen Werken können uns heute nur Schwarzweißfotografien und eine gute Farbreproduktion von *Hygieia*, der Hauptfigur der *Medizin*, vermitteln. Und es gibt auch noch den »farbigen« Kommentar von Ludwig Hevesi: »Man blicke auf die beiden Seitenstücke: *Philosophie* und *Medizin*. Eine mystische Symphonie in Grün und eine rauschende Ouvertüre in Rot, rein dekorative Farbenspiele beide. In der *Jurisprudenz* herrscht Schwarz und Gold vor, also keine eigentlichen Farben, dafür aber erhebt sich die Linie zu einer Bedeutsamkeit, die Form zu einer Charakteristik, die man monumental nennen muß.«[6]

So schafft Klimt sein Werk, hin- und hergerissen zwischen Eros und Thanatos, indem er die sakrosankten Prinzipien einer verfallenden Gesellschaft in Frage stellt. Mit *Philosophie* hat er im Gegensatz zu den überkommenen Vorstellungen den Triumph der Finsternis über das Licht dargestellt. Mit der *Medizin* hat er ihre Machtlosigkeit aufgedeckt, Krankheiten zu heilen. In *Jurisprudenz* schließlich stellt er einen Verurteilten in der Gewalt dreier Furien dar, der Wahrheit, der Gerechtigkeit und des Gesetzes. Sie sind als von Schlangen umgebene Eumeniden dargestellt, ihre Strafe als tödliche Umarmung einer Krake. Klimt ist entschlossen, die Säulen des Tempels einzureißen und die Prüden durch die Darstellung sexueller Archetypen zu verletzen.

Von diesem ganz bewußt geführten Kampf ist außer den flüchtigen Spuren der verschwundenen Meisterwerke nur die bittere Feststellung der Ohnmacht des Künstlers vor dem Pranger der Zensur geblieben – Klimt sollte niemals zum Professor an der Kunsthochschule ernannt werden. Aber er hat jenen, die ihn verhöhnt haben, mit seiner *Nuda Veritas* den Spiegel der »nackten Wahrheit« vorgehalten! (Abb. S. 19)

»Der Kunst ihre Freiheit« schrieb Hevesi an den Giebel des Secessionsgebäudes. Und Klimt will ganz frei sein, er will denken und malen, ohne von öffentlichen Aufträgen abhängig zu sein. Dabei wird er unterstützt von einigen treuen Mäzenen. So hat er vor dem Wiener Universitätsskandal Nikolaus Dumba kennengelernt, den Sohn eines griechischen Kaufmanns aus Mazedonien, ein durch Verbindungen mit dem Orient, mit Banken und der Textilindustrie reich gewordener Geschäftsmann. Hans Makart hatte schon sein Büro ausgestattet. Nach dessen Tode wird Klimt Dumbas bevorzugter Künstler. Er

Judith II (Salome), 1909
Judith oder Salome? Augenscheinlich hat Klimt eher den »gräßlichen Orgasmus« der Femme fatale gemalt als das Porträt der frommen jüdischen Witwe.

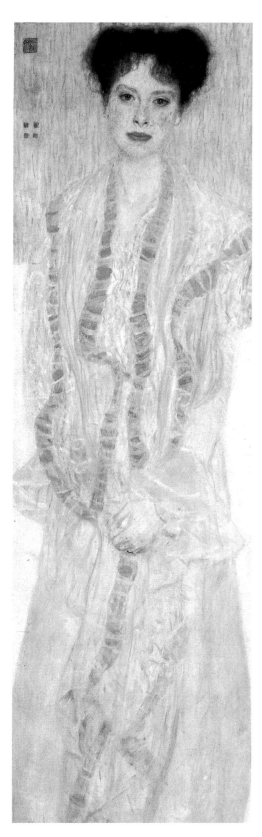

Bildnis Gertha Felsöványi, 1902

Bildnis Serena Lederer, 1899
Klimt versteht es, sich bei dem jüdischen Großbürgertum von Wien, das die Secession finanziell unterstützt, beliebt zu machen, indem er die Ehefrauen mit einem Höchstmaß an Anmut und einer Spur stolzer Distanziertheit darstellt.

vertraut ihm die Ausstattung seines Musiksalons einschließlich der Möbel, Accessoires und zweier Supraporten an. Die erste stellt *Schubert am Klavier* (Abb. S. 18) dar, die zweite, die *Musik II,* zeigt eine griechische Priesterin mit der Kithara des Apoll. Die eine ist eine harmlose, nostalgische Erinnerung an das verlorene Paradies einer gutsituierten, sorglosen Gesellschaft, die sich durch Hausmusik zu zerstreuen pflegte. Die andere – stilistisch ganz anders – entführt in eine Welt von Symbolen, die die dionysische Macht der Musik zum Ausdruck bringen. »In diesen Gemälden«, schreibt Carl E. Schorske, »standen biedermeierliche Heiterkeit und dionysische Unruhe einander in einem Raum gegenüber. Das ›Schubert‹-Bild stellt Hausmusik dar, Musik als künstlerische Bekrönung einer geordneten und sicheren gesellschaftlichen Lebensart. Die Szene ist in ein warmes Kerzenlicht getaucht, das die Umrisse der Gestalten weicher macht, um sie in eine gesellige Harmonie zu verschmelzen . . . Klimt nimmt jetzt impressionistische Techniken in Dienst und ersetzt damit die historische Rekonstruktion durch sehnsüchtige Beschwörung. Er malt uns einen lieblichen Traum, glühend, aber körperlos – den Traum einer unschuldigen, erfreuenden Kunst, die einer behaglichen Gesellschaft diente.«[7]

Dies ist der Klimt, den man in Wien liebt. Ein ungefährlicher Klimt, der auch das konservativste Publikum bezaubert und ihm als Zugabe Schubert beschert, den Komponisten, den das sentimentale Wiener Bürgertum anbetet. Klimt scheint in der Tat seinen schmeichelhaftesten Stil seinen Mäzenen vorzubehalten. So war es bei seinem *Bildnis Sonja Knips* (Abb. S. 17). So ist es auch bei den impressionistischen, ganz sanften Porträts der »Ehefrauen« wie *Gertha Felsöványi* (Abb. S. 30) und *Serena Lederer* (Abb. S. 31) oder auch *Emilie Flöge* (Abb. S. 32). Seine Frauenporträts haben immer den gleichen Ausdruck der Entrücktheit – abwesend, melancholisch betrachten sie die Welt – und den Mann – mit demselben heiteren Blick. Der »horror vacui« konzentriert sich in ihrer monumentalen Präsenz. Klimt pflegt hier einen eklektischen Stil, sich bald an Velázquez, bald an Fernand Khnopff orientierend. Von dem einen übernimmt er die Art, die gelockten Haare und das wulstige Kinn zu behandeln, an den anderen erinnert der Typus der Femme fatale. Immer aber wird man erdrückt von der augenfälligen Passivität der Personen.

Sobald Klimt aber nicht für Auftraggeber arbeitet, entsagt er jeder Zurückhaltung und kann sich frei entfalten. Er setzt dann einen ganz anderen Typ Frau ins Bild – gefährlich und intuitiv –, wie schon in *Pallas Athene* so auch in *Nuda Veritas.* Ihre erste Version hatte Klimt für »Ver Sacrum« gezeichnet, woraufhin sie als »Dämon der Secession« bezeichnet wurde. In der zweiten Version, einer 2,60 Meter hohen Ausführung als Ölgemälde (Abb. S. 19), bricht dann der »neue naturalistische Stil« Klimts durch. Das Publikum ist schockiert und verwirrt durch die provozierende Nackte mit roter Mähne und Scham. Dies ist keine Venus, hier steht man vor einer riesigen Nini – einem Geschöpf aus Fleisch und Blut, das mit dem traditionellen idealisierten Akt nichts mehr zu tun hat. Die Schambehaarung allein ist schon eine Kriegserklärung an das klassische Ideal. Das Schillerzitat darüber dient als Kommentar oder Provokation und nimmt die ablehnende Reaktion des Publikums schon vorweg: »Kannst du nicht allen gefallen durch deine That und dein Kunstwerk, mach es wenigen recht. Vielen gefallen ist schlimm.« Die erste in »Ver Sacrum« veröffentlichte Version war mit einem ähnlich elitären Satz von L. Scheffer überschrieben: »Wahre Kunst wird von wenigen für die Wertschätzung weniger gemacht.«

Emilie Flöge, 1902
Foto: Ora Branda

Bildnis Emilie Flöge, 1902
Emilie Flöge ist die große Liebe Klimts und
seine Gefährtin bis ans Ende seines Lebens.
Sie betreibt einen Modesalon, und er entwirft
für sie Stoffe und Modelle. Seine Entwürfe
wirken wie Ausschnitte aus dem Hintergrund
seiner Landschaftsbilder.

Buchenwald, 1902
Klimt malt seine Landschaften mit derselben
Sinnlichkeit wie seine Porträts. Er macht sie
zu prächtigen Tapisserien durch seinen
eurythmischen Gestaltungswillen, mit einer
Wiederholungswirkung, die vertikale und
horizontale Elemente miteinander kom-
biniert.

Judith I und *Judith II*, im Abstand von acht Jahren entstanden, sind weitere
Verwirklichungen von Klimts Archetyp der Femme fatale. Diese Judith ist
keine historische Heldin, sondern eine typische Zeitgenossin Klimts, was auch
das kostbare Hundehalsband deutlich macht, das damals in Mode war. Mit
diesen Bildern hat der Künstler – wie Bertha Zuckerkandl meinte – den
Frauentyp einer Greta Garbo oder Marlene Dietrich geschaffen – lange bevor
es diese und das Wort Vamp überhaupt gab. Stolz und abweisend, doch
zugleich rätselhaft, ziehen sie den Betrachter – den Mann – in ihren Bann.

Beide Bilder sind nicht von ihrem Rahmen zu trennen, deren Vergoldung sie
wie Ikonen wirken läßt. Der Rahmen der früheren Version ist übrigens eine
Arbeit von Klimts Bruder Georg, der Goldschmied war. Auf dem Rahmen
wird der Dekor des Bildes fortgesetzt – in der Art, wie es schon die Präraffae-
liten für sich entwickelt hatten und wie es zur Zeit Klimts sehr beliebt war. In
diesen Bildern sucht Klimt Anregungen beim byzantinischen Stil, den er auf
einer Reise nach Ravenna kennengelernt hatte. Der gewollte Kontrast – fast
wie eine Fotomontage – zwischen dem plastisch modellierten, geschminkten
Gesicht und der flächigen Ornamentik des Dekors bestimmt die Bilder und
bedingt ihren Reiz. Als formale Vorläufer dessen werden oft die Figuren des
Genter Altars der Brüder van Eyck genannt.

Kein Zweifel – mit der Wahl des Judith-Themas fand Klimt ein eindring-
liches Symbol für den durch die Frau gestraften Mann, der mit dem Tod büßen
muß: Um ihre Stadt zu retten, verführt Judith den General Holofernes
zunächst, um ihm dann das Haupt abzuschlagen. Damit ist die biblische Heldin

Goldfische, 1901/02
Dieses Gemälde ist die Antwort Klimts auf
die heftigen Kritiken an seinen Fakultätsbildern. Das zunächst unter dem Titel »An
meine Kritiker« entstandene Gemälde zeigt
doch tatsächlich im Vordergrund eine wun-
dervolle, lachende Najade, die dem Betrachter ganz unumwunden ihren herrlichen Hintern zudreht!

das vollkommene Beispiel des Mutes und der Entschlossenheit im Dienste des
Ideals. Judith, die kastrierende Heldin . . . In dieser biblischen Figur vereinen
sich wieder Eros und Tod – denen das Interesse der Zeit gilt. Richard Strauss
etwa bringt seine »Mykenische Herrscherin« zur Aufführung, deren blutrün-
stige Klytämnestra ein ebensogutes Beispiel der kastrierenden Frau ist, geeig-
net, auf schamlose Weise die perversesten Phantasien zu bestätigen.

Diese Judith mußte selbst eine gesellschaftliche Gruppe in Wien provozie-
ren, die ansonsten die Tabu-Überschreitungen Klimts akzeptierte – das jüdische Bürgertum. Aber diesmal rührte er an ein religiöses Tabu. Man traut
seinen Augen nicht. Klimt muß sich geirrt haben, wenn er behauptet, er habe
mit dieser Frau, deren halbgeschlossene Augen und leicht geöffnete Lippen ein
fast orgastisches Entzücken ausdrücken, die fromme jüdische Witwe dargestellt, die mutige Heldin der Apokryphen, die ohne das geringste Vergnügen
die ihr vom Himmel aufgetragene schreckliche Mission erfüllt hatte, die Ent-
hauptung des Räubers Holofernes, des Führers der assyrischen Armee. Er
hatte wohl eher an Salome gedacht, diese typische Femme fatale des Fin de
siècle, die schon so viele Künstler und Intellektuelle der Zeit fasziniert hatte,
von Gustave Moreau über Oscar Wilde, Aubrey Beardsley und Franz von
Stuck bis zu Max Klinger. Und deshalb führten in Katalogen und Zeitschriften-
artikeln immer wieder wohlmeinende Seelen die »Judith«-Bilder unter dem
Namen »Salome« auf. Ob er nun Judith mit den Wesenszügen Salomes ausgestattet hat, sei dahingestellt, jedenfalls hat Klimt die eloquenteste Vertreterin
des Eros wie auch die Phantasien einer modernen Femme fatale gemalt . . .

Doch Klimt kennt nicht nur die Femme fatale. Während seine Kompositionen für die Aula der Universität noch immer Kritik auslösen, bearbeitet er wie
ein neuer Candide seinen Garten, indem er sich der Landschaftsmalerei zuwen-
det. Dabei orientiert er sich an Impressionisten und Postimpressionisten. Man
könnte meinen, daß Claude Monet Klimt als Vorbild für einige seiner ersten
Landschaften wie *Der Sumpf* (1900) oder *Die großen Pappeln II* (1903) gedient
hat. Tatsächlich aber ist das Werk des Landschaftsmalers Klimt eine kühne
Synthese aus Impressionismus und Symbolismus. Es dominiert zwar der die
Formen auflösende Strich der Impressionisten, aber die Schematisierung der
Flächen ist typisch für den Jugendstil, der sich damit an die orientalische Kunst
anlehnt. Klimt interessiert sich nicht wie die Impressionisten für das Wetter,
das Spiel von Licht und Schatten. Er konstruiert das für ihn typische emaillierte
Mosaik wie in seinen Porträts, und mischt Naturalismus und Schematismus.
Dies bestätigt sich, wenn man Bilder wie *Nach dem Regen* (Abb. S. 26), *Nixen*
(Abb. S. 27) oder *Bildnis Emilie Flöge* (Abb. S. 32) mit *Buchenwald*
(Abb. S. 33) vergleicht: In seinen Landschaften wie in seinen Porträts oder
seinen Allegorien setzt Klimt die Figuren reliefartig auf eine flächige
Ornamentik.

Die Waldszenen wie *Buchenwald* (Abb. S. 33) oder *Buchenwald I*
(Abb. S. 35) ähneln einer Art Tapisserie, in der Klimt die geistige Kraft der
Eurythmie einsetzt und durch die Gruppierung vertikaler und horizontaler
Elemente einen Wiederholungseffekt erzielt. Wo van Gogh mit der Gewalt der
Verzweiflung der modernen Malerei zum Durchbruch verhilft, sammelt Klimt
in aller Stille, und das sinnliche Schauern seiner Landschaften führt zu einer
gesteigerten floralen Ornamentik und symbolischen Aussage. Diese verschie-
denartigen, den Horizont verschlingenden und den Raum negierenden Mosaiken sind für ihn auch eine Erlösung von dem »horror vacui«, der ihn quält.

Buchenwald I, um 1902
Wo van Gogh der modernen Malerei zum
Durchbruch verhilft, fügt Klimt im Stillen
zusammen und läßt seine Landschaften sinn-
lich erschauern: Er behandelt sie wie Frauen.

Allein die Tatsache, daß seine Landschaften immer ohne Anzeichen von
menschlichen Wesen sind, macht verständlich, daß Klimt sie wie lebende
Personen behandelt – und da die Frau die Hauptperson in seinem Werk ist,
kann man annehmen, daß er seine Landschaften wie Frauen behandelt. Scheint
nicht das Kleid der Emilie Flöge in dem ersten Porträt von 1902 (Abb. S. 32
rechts) aus einem dieser Wälder ausgeschnitten, um das Modell wie eine zweite
Haut zu umschließen? Dieses Gewand hat Klimt erfunden, um ihre schmale
Silhouette zur Geltung zu bringen. Natürlich gab es in Wien nun fast den
nächsten Skandal. Sogar seine Mutter protestiert gegen dieses neuartige
Gewand, das so ganz anders ist als die damals modernen Rüschenkleider.

Das Gewand ist in Klimts Porträts ebenso wichtig wie das Modell selbst. Es
dient auf subtile Weise dazu, die Persönlichkeit der Frau zu enthüllen und ihr
Gesicht, ihren Hals und ihre Hände zur Geltung zu bringen. Man fühlt sich
dabei an den Klassizismus von Ingres erinnert, in dessen Porträts die Sinnlichkeit ebenso zum Ausdruck kommt. Für beide haben die Kleider dieselbe
notwendige Funktion wie die Organe des Körpers: Sie sind selbst Organe. Man
kann auf Klimt wie auf Ingres die Beschreibung von Gaetan Picon anwenden:
»Nichts ist schärfer, subtiler, Ingres-hafter als der Moment, in dem ein Hals
und ein Kollier, ein Samt und ein Fleisch, ein Schal und eine Frisur zusammen-
stimmen, als diese Linie, wo sich Brust und Ausschnitt, Arm und langschaftiger
Handschuh treffen. Wenn die Frauenporträts eine besondere Ausstrahlung
haben, so ist es, weil sie wie Nackte – wenn auch weniger offen – aus dem
Leuchten des Begehrens auf uns zukommen . . .«

Die Hymne an die Freude und der Beethovenfries

Philosophie, Medizin und Jurisprudenz sind für Klimt – wie er in seinen Fakultätsbildern für die Universität deutlich zum Ausdruck gebracht hat – nicht in der Lage, dem Menschen ein glückliches und erfülltes Leben zu gewährleisten. Für die utopistische Generation Klimts hat allein die Kunst die Fähigkeit, den Menschen zu erlösen – daher der Hang zum Gesamtkunstwerk in dieser Zeit, dem insbesondere die Secessionisten nachgingen.

Aus dieser Überzeugung heraus wollen sie ihre XIV. Ausstellung zu einem besonderen Ereignis und Erlebnis machen – zu einem Gesamtkunstwerk. Die Ausstellung findet 1902 zu Ehren Max Klingers statt, dessen Beethoven-Skulptur das Zentrum bildete. Die ganze Ausstellung wird zu einer Feier Ludwig van Beethovens. Um diesen Komponisten wird in jenen Jahren ein regelrechter Kult getrieben, der vor allem von Franz Liszts und Richard Wagners Verehrung für ihn geschürt wird. In Frankreich hat zur gleichen Zeit Bourdelle seine große Beethoven-Maske geschaffen und Romain Rolland das »Leben Beethovens« geschrieben. Klimt und seine Freunde sehen in Beethoven die Verkörperung des Genies und in seinem Werk die Verherrlichung der Liebe und der Aufopferung, die dem Menschen Heil bringen können.

Klingers Statue heroisiert Beethoven. Sie orientiert sich in ihrem Bemühen um einen sakralen Charakter an dem »Zeus« des Phidias. In heldischer Nacktheit, die Faust geballt, den Blick nach oben, verkörpert er als Märtyrer und Menschheitserlöser vollkommen die Intentionen der Secessionisten.

Josef Hoffmann entwirft für die Ausstellung die Innenausstattung. Er verwendet rohen Beton, um den Raum so neutral wie möglich zu gestalten. Darüber hinaus ist ein geradezu synästhetisches Erlebnis vorgesehen, indem auch die Musik einbezogen wird: der 4. Satz von Beethovens 9. Symphonie wird aufgeführt, neu orchestriert für ein Ensemble von Holz- und Blechbläsern, das Gustav Mahler dirigiert, der zu der Zeit Operndirektor in Wien ist.

Und schließlich gestaltet Klimt seinen Beethovenfries anläßlich dieser Ausstellung. Er war tatsächlich nur für die Dauer der Ausstellung gedacht und daher direkt auf die Wände aufgetragen mit leichten Materialien, damit er leicht wieder abzutragen sein würde. Glücklicherweise hat er sich dennoch erhalten, wenn er auch lange der Öffentlichkeit nicht zugänglich war – erst seit 1986 ist er wieder zu sehen. So ist es das am wenigsten bekannte, weil am meisten mythisierte Werk des Künstlers. Er selbst allerdings hat es eindeutig verstanden als eine symbolische Umsetzung der letzten Symphonie Beethovens.

Der Katalogtext der damaligen Ausstellung gibt darüber Aufschluß: »Die

Rekonstruktion des Klimtsaals nach Plänen des Ateliers Prof. Hans Hollein, rechte Seitenwand
Foto: Hans Riha

Beethovenfries, 1902
Eine Huldigung an das Musikgenie, dessen Kunst die Seele der Menschheit retten soll. Die 9. Symphonie von Beethoven ist dem Fries von Klimt zugrunde gelegt, der aus drei Teilen besteht: »Die Sehnsucht nach dem Glück« stößt auf die »Feindlichen Gewalten« und triumphiert mit der »Hymne an die Freude«.

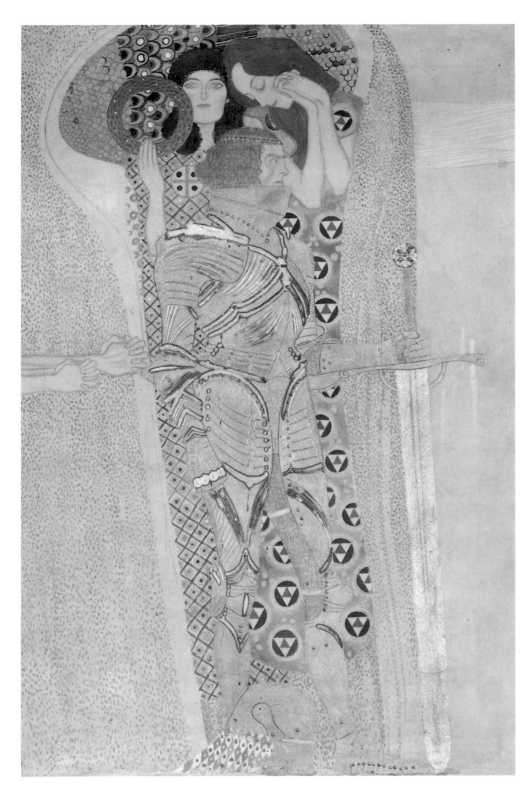

Beethovenfries: Die Sehnsucht nach dem Glück (Detail), 1902
Gruppe des wohlgerüsteten Starken, mit Ehrgeiz und Mitleid. Die leidende, schwache Menschheit richtet ihre Gebete an den wohlgerüsteten, starken Mann als von außen wirkende Kräfte, Mitleid und Ehrgeiz als innere Kräfte, die ihn dazu treiben, das Ringen um das Glück auf sich zu nehmen.

Malereien, die sich friesartig über die oberen Hälften dreier Wände dieses Saales erstrecken, sind von Gustav Klimt. Material: Kaseinfarbe, aufgetragener Stuck, Vergoldung. Dekoratives Prinzip: Rücksichtnahme auf die Saalanlage, ornamentierte Putzflächen. Die drei bemalten Wände bilden eine zusammenhängende Folge. Erste Langwand, gegenüber dem Eingang: Die Sehnsucht nach dem Glück; Die Leiden der schwachen Menschheit; Die Bitten dieser an den wohlgerüsteten Starken, aus Mitleid und Ehrgeiz als treibende Kräfte das Ringen nach dem Glück aufzunehmen. Schmalwand: Die feindlichen Gewalten; Der Gigant Typhoeus, gegen den selbst Götter vergebens

Beethovenfries: Die feindlichen Gewalten (Detail), 1902
Detail aus der den »Feindlichen Gewalten« gewidmeten Tafel, die drei Gorgonen: Krankheit, Wahnsinn und Tod.

Beethovenfries: Die feindlichen Gewalten
(Detail), 1902
Der Gigant Typhoeus, ein gräßlicher Affe mit
Schlangenschwanz und Flügeln, furchteinflö-
ßender Gegner der Götter.

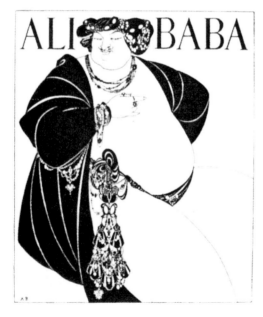

<u>Aubrey Beardsley:</u> Umschlag für »Ali Baba
und die 40 Räuber«, 1897
Beardsley und Klimt haben den bis zum
Übermaß verfeinerten Dekor gemeinsam.

Beethovenfries: Die feindlichen Gewalten
(Detail), 1902

kämpften; seine Töchter, die drei Gorgonen, die Wollust und Unkeuschheit,
Unmäßigkeit und nagenden Kummer symbolisieren. Die Sehnsüchte und
Wünsche der Menschen fliegen darüber hinweg. Zweite Langwand: Die Sehnsucht nach Glück findet Stillung in der Poesie. Die Künste führen uns in das
ideale Reich hinüber, in dem allein wir reine Freude, reines Glück, reine Liebe
finden können. Chor der Paradiesengel. ›Freude, schöner Götterfunken. Diesen Kuß der ganzen Welt.‹«[8]

Klimt stellte schon seit langem die Frage nach dem Sinn des Lebens. In den
drei Kompositionen für die Universität hat er eine Antwort ex negativo gefun-
den. Philosophie, Medizin und Jurisprudenz hat er abqualifiziert und so seine
Resignation und Melancholie zum Ausdruck gebracht. Nun aber findet er zu
einer großartigen Utopie, die er mit den Secessionisten teilt: die Erlösung des
Menschen durch die einzigartige Macht der Kunst und der Liebe.

Doch sein Fries trifft auf eine Front der Ablehnung. Man kritisiert ihn als
blutarm und steif. Die dargestellten Figuren werden als abstoßend empfunden.
Insbesondere die drei Gorgonen, die Allegorien der »Unkeuschheit«, der
»Wollust« und der »Unmäßigkeit«, rufen einen Sturm der Entrüstung hervor,
da Klimt das Bild reichlich mit Phallen, weiblichen Geschlechtsteilen, Samenfäden und Ovula ausgestattet hat. Was bestimmte Besucher anzieht, vertreibt
die meisten, und die Ausstellung wird ein finanzielles Desaster.

Eine mögliche Erklärung für die Reaktion des Publikums ist wohl darin zu
sehen, daß Klimt mit diesem Werk eine größere Verselbständigung der Formen, der Linien und der Ornamentik erreicht und seine Kunst damit der
Moderne einen großen Schritt näherbringt. Doch stehen die Formen zwangsläufig nicht mehr ausschließlich im Dienste des Inhalts, sondern führen ihr
eigenes Leben, haben ihren eigenen Inhalt. Somit erreicht der optimistische,
utopische Gehalt seiner Darstellung – die Erlösung des Mannes durch die Frau
in der Umarmung am Ende des Frieses – die Betrachter nur erschwert. So
halten sich diese nur an Äußerlichkeiten, wie häßlich dargestellten Frauen,
fest.

Jean-Paul Bouillon hat in seiner Studie über Klimts »Beethoven« herausge-
stellt, daß Klimts Enthüllung der Sexualität keine wirkliche Befreiung bedeutet. »Er gerät im Gegenteil in einen zweifachen Alptraum: den von der kastrierenden Frau – dieses Mal durch ihr Geschlecht selbst und nicht mehr über den
Umweg der symbolischen Darstellung der *Judith I* von 1901; und den der
lüsternen Frau, bei der sich der Genuß, den sie vermitteln will, zunächst auf sie
selbst bezieht (*Wollust* und viele ›erotische‹ Zeichnungen Klimts) und eine
Gefahr für den Mann darstellt. Die erstere erscheint auf der mittleren Tafel in
der Form dreier Gorgonen . . . (Abb. S. 41); die gleichen drei Figuren treten in
der *Jurisprudenz* (Abb. S. 23) auf, diesmal zusammen mit ihrem Opfer, wo sie
sehr deutlich zeigen, was der als Voyeur entlarvte Betrachter von ihnen zu
erwarten hat. Die zweite ist Teil der symmetrischen Gruppe neben Typhea
und wird etwas weiter entfernt ergänzt durch den *Nagenden Kummer*, eine . . .
Anspielung auf die Syphilis, die Klimt . . . besonders fürchtete . . . Die Kindfrau
von perverser, polymorpher Sexualität, deren Porträt Freud 1905 in seinen
›Drei Abhandlungen zur Sexualtheorie‹ zeichnet, offenbart sich so deshalb
erheblich ängstigender, als sie sich selbst genügt: auf der mittleren Tafel hat der
Mann keinen Platz.«

Der Mann tritt bei Klimt merkwürdig wenig in Erscheinung – und wenn,
dann um die Frau zur Geltung zu bringen. Im Wien der Jahrhundertwende ist

Beethovenfries: Freude, schöner Götterfunken (Detail), 1902
Wagner scheint in seinem Kommentar zu der
9. Symphonie von Beethoven im voraus das
Vorgehen Klimts zu erklären. Es ist »ein
Kampf der nach Freude ringenden Seele
gegen den Druck jener feindlichen Gewalt,
die sich zwischen uns und das Glück der Erde
stellt«.

der Mann offenbar von allen Seiten bedroht und aus einer weiblichen und von
der Frau beherrschten Welt so gut wie ausgeschlossen. So ist die narzißtische
Welt der Lesbierinnen, die sich in den Wasserströmen der *Wasserschlangen I*
(Abb. S. 46 rechts) und *Wasserschlangen II* (Abb. S. 47) lieben, beispielhaft für
den Angsttraum eines von der Frau bestimmten Universums. Selbst der beet-
hovensche Heros von Diesen Kuß der ganzen Welt befindet sich entkleidet und
ohne Rüstung in einer schwierigen Lage. Trotz seines athletischen Körpers sind
es, wie Jean-Paul Bouillon betont, die Arme der Frau, die ihn zum Gefangenen
machen und seinen Kopf niederdrücken! Er hat nichts mehr von dem trium-
phierenden Theseus auf dem Plakat der Secession – er wendet den kastrierenden Furien den Rücken zu, in der Stellung eines ohnmächtigen Greises wie auf
dem Bild *Jurisprudenz* . . . In ihm wird die Doppeldeutigkeit der Sexualität als
Strafe und Erfüllung anschaulich (C. E. Schorske).

Es ist die Rückkehr des Helden zum Mutterleib, das Ende seiner Reise in den
Leib, den er nie hätte verlassen dürfen, die letzte Umarmung, die auch eine
Rückkehr zum Ursprung ist, zum Kosmos, in dem die Frau die wahre Siegerin
ist. Diese »Gefangenschaft in der Gebärmutter« findet man in *Die Hoffnung I*
(Abb. S. 44 rechts) wieder – dieser großartige Leib, der alles beherrscht wie
»ein lebendes Gefäß, in dem die Hoffnung der Menschheit reift«. Dieses
ungemein visuelle Gedicht von der schwangeren Frau in *Die Hoffnung I* ist
umgeben von einem zweideutigen Kontext, der bevölkert ist von Masken,
Totenköpfen, allegorischen Monstren wie Laster, Krankheit, Armut und Tod,
die das neue Leben bedrohen. Sicherlich sind der Titel des Bildes und der
schamlose Körper selbst Inbegriff der vollendeten Weiblichkeit, eine Hymne
an das Leben und das Fleisch. Aber sind nicht die umgebenden Elemente auch
Bilder der Nacht und des Todes? Das ganze erotische Vokabular von Klimt ist

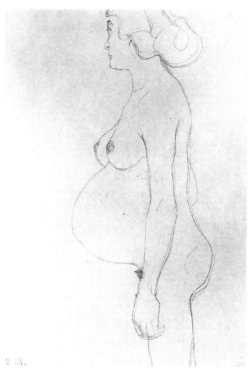

Stehende nackte Schwangere im Profil nach
links, 1904/05

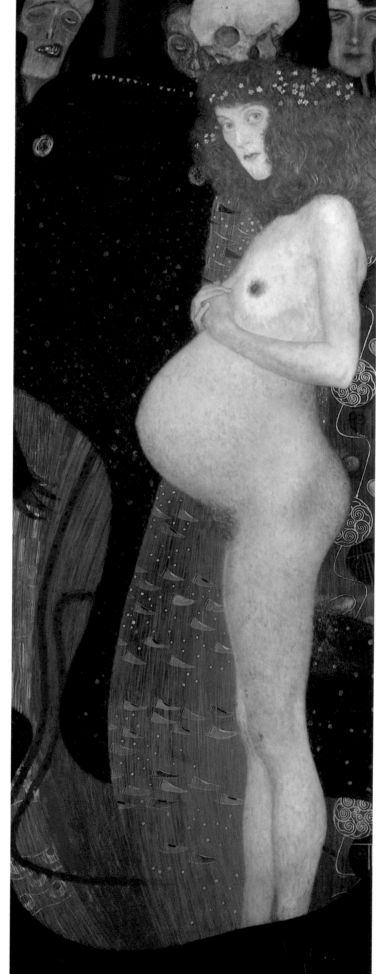

Die Hoffnung I, 1903
Hier wird das ganze erotische Vokabular
Klimts aufgeboten, von dem schamlosen
Körper über die eine gewisse Perversität aus-
strahlende rote Behaarung bis zu den Moti-
ven des Durchdringens, die in einer symboli-
schen Verbindung zu dem ausladenden
Bauch stehen. Aber in der Umgebung dieses
Bildes vollendeter Weiblichkeit erscheinen
auch Elemente der Nacht und des Todes.

Drei schwangere nackte Frauen im Profil
nach links, 1903/04

Die Hoffnung II, 1907/08
Ein Abstand von mehreren Jahren trennt
diese beiden Darstellungen der schwangeren
Frau, die Hymnen an das Leben und an das
Fleischliche sind. Das spätere der beiden
Gemälde zeigt uns hingegen einen vernünfti-
gen oder vielleicht auch heuchlerischeren
Klimt. Die aggressiven oder morbiden Ele-
mente sind verschwunden. Geblieben ist nur
die triumphierende und blühende Frau.
Offensichtlich ist Klimt von Hans Baldung
Grien zu Botticelli übergegangen . . .

aufgeboten, von den Motiven des Durchdringens in symbolischer Beziehung zu
dem ausladenden Bauch bis zu der roten Behaarung, von der ein Hauch von
Perversion ausgeht, der an Hans Baldung Grien denken läßt. Von der Reinheit
des *Frühlings* von Botticelli bleibt nur der kleine Blumenkranz im Haar! Es ist
wiederum eine zu naturalistische und direkte Darstellung, die die Zeitgenossen
Klimts schockieren muß, auf die das Bild obszön wirkt. Übrigens blieb das
Gemälde lange Zeit in der Büßerecke, versteckt in der Privatsammlung von
Wärndorfer, wo es wie ein Altar mit zwei Klappen verschlossen wurde, was den
sakralen Charakter des Werkes noch unterstrich. Erst 1909 gewann das Bild für
eine Ausstellung seine Freiheit zurück.

Auguste Rodin hat 1902 die Beethoven-Ausstellung besucht und Klimt zu
seinem »so tragischen und so göttlichen« Fries gratuliert. In Wien ist der
französische Bildhauer, der dort seit 1882 seine Werke ausstellt, gut bekannt.
Die Bewunderung ist gegenseitig – Klimt hatte sie schon zum Ausdruck
gebracht, als er aus Rodins »Höllentor« die beiden Verzweifelten für seine
Philosophie übernahm. Dort vergraben sie zu Füßen der Menschensäule den
Kopf in ihren Händen. Für *Die drei Lebensalter* (Abb. S. 48 links) läßt Klimt
sich wiederum von Rodin inspirieren, diesmal von *Celle qui fut la belle Heaulmière* (Die einstmals schöne Helmschmiedin, Abb. S. 48 rechts). Wie
Die Hoffnung, der sie sehr nahesteht, evoziert dieses Gemälde den Menschen, das Schicksal, die Lebensalter und die zentrale Rolle der Frau, aber auch
die Unendlichkeit des Kosmos und die Verschmelzung der Geschlechter, die

Kompositionsentwurf für *Wasserschlangen I*,
1903–07

Wasserschlangen I, 1904–07

von einer Fülle biologischer Ornamentik mit Durchdringungsmotiven umschrieben wird. Mikrokosmen und Makrokosmen gehen ineinander über in einem Mosaik voller Anspielungen und einem Strom von Farben.

Angesichts einer Gesellschaft, in der Tod und Sexualität als Elemente des Chaos angesehen und als unerlaubt ausgeklammert werden, scheint Klimt von nun an mehr denn je auf den dornigen, unruhigen, fieberhaften und angstvollen Weg des Infragestellens der Dinge verwiesen zu sein, die der Mensch über seine Existenz wissen kann. Nach Georges Bataille ist authentische Kunst zwangsläufig prometheisch. Das ganze Werk Klimts ist durchzogen von dem Symbol der menschlichen Auflehnung gegen die Tyrannei der Materie und seines Strebens nach der Wahrheit und dem Ideal. Hatte nicht Zeus selbst, indem er Prometheus begnadigte, das Reich der Gerechtigkeit geschaffen?

Wien hat nicht die Größe des Zeus und kann Klimt nicht verzeihen. Er verliert auch das Wohlwollen der Staatsorgane, von denen er keinen einzigen Auftrag mehr bekommt. Sogar innerhalb der Secession hat der Mißerfolg des »Beethovenfrieses« einen Konflikt zwischen Anhängern und Kritikern Klimts ausgelöst. Dieser, umgeben von seinen Getreuen wie Carl Moll, Josef Hoffmann, Koloman Moser und Otto Wagner, zieht es vor, die Secession zu verlassen, die sich von diesem Verlust nicht wieder erholen wird – ihre große Zeit ist vorüber. »Ver Sacrum« mußte sein Erscheinen schon einstellen. Klimt hat das Bedürfnis, sich aus der Öffentlichkeit zurückzuziehen. Sicherlich bleibt sein Hauptthema immer der Lauf des Lebens mit Zeugung, Schwangerschaft und Geburt wie auch Krankheiten, Angst vor dem Alter und Tod. Seine Mißerfolge haben ihn jedoch unempfindlicher gegen gesellschaftliche Probleme und gleichgültig gegenüber politischen Ereignissen gemacht. Nur die geistige Suche beschäftigt ihn nach wie vor, eine Mischung aus okkulter Philosophie und orientalischen Religionen, die ihm eine auf die ewigen Fragen des

Wasserschlangen II, 1904–07
Zweifellos malt Klimt lieber die Frau als den Mann, der merkwürdig selten in Erscheinung tritt. Er malt sogar ein gänzlich feminisiertes Universum, eine narzißtische Welt von Lesbierinnen, die sich in den Strömen aus aquatischen Träumen lieben, in denen sich Haare mit Algen vermischen.

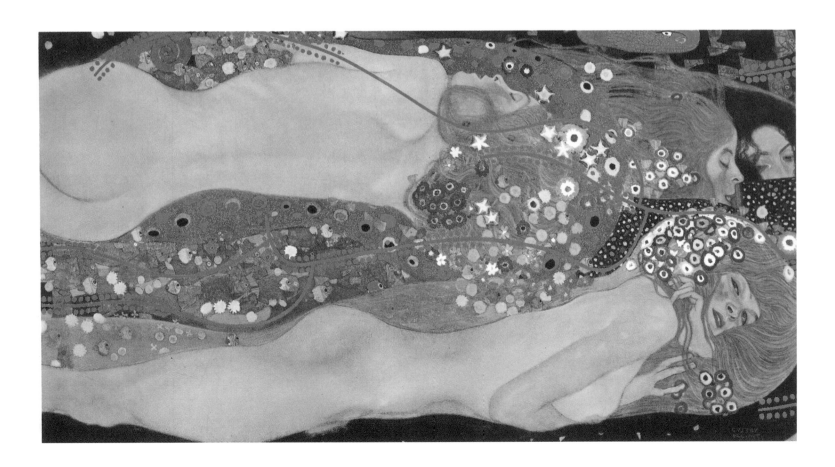

Auguste Rodin: Celle qui fut la belle Heaulmière (Die einstmals schöne Helmschmiedin), 1885

Lebens gerichtete Weltsicht möglich macht. Eros und Thanatos bleiben immer die Quelle seiner Inspiration, selbst wenn diese sich von nun an vorwiegend unter zwei fundamentalen Themen verbirgt: Blumen und Frauen. Sie bieten ihm die beste Möglichkeit das einzige festzuhalten, das man im Vorbeigehen ergreifen kann: eine flüchtige Sinnenfreude, die Ekstase des Lebens!

Zunächst waren die »Ehefrauen-« oder »Mädchen«-Porträts entstanden, die Klimt finanziell unabhängig machten, wie das *Bildnis Margaret Stonborough-Wittgenstein* (Abb. S. 49), mit dem ihr Vater Klimt anläßlich der Hochzeit seiner Tochter mit Stonborough beauftragte. Man kommt nicht umhin, sich zu fragen, ob die schöne Margaret dem Künstler nicht nackt Modell gestanden hat, bevor er sie mit einem langen Hochzeitskleid im Stil von Whistler oder Khnopff mit einer feinen Ton-in-Ton gehaltenen Blumenstola umhüllte. Margaret ist eine starke, sehr avantgardistische Persönlichkeit, eine Freundin von Freud und Mitglied der intellektuellen und kulturellen Elite Wiens. Die Schwester des asketischen Philosophen Wittgenstein schreckt vor Spielen der verschiedensten Arten nicht zurück. Es fehlt ihr auch nicht an Humor, denn sie postiert dieses Porträt im Zentrum ihres »logisch konzipierten Hauses« – einheitlich weiß und nur aus Kuben bestehend – , das ihr Bruder im Geist von Adolf Loos, gegen »die ornamentalistische Geißel«, für sie entworfen hat.

Klimts Wahl des quadratischen Formats insbesondere für seine Landschaftsbilder – eine Vorliebe, die schon mit *Pallas Athene* begann – ist keineswegs zufällig. In diesem Format erscheint das Dargestellte als in sich ruhend – wie Klimt es ausdrückt, in eine Atmosphäre des Friedens getaucht – und als

Die drei Lebensalter, 1905
Rodin, der 1902 die Beethoven-Ausstellung besucht und den Maler zu seinem »tragischen und prächtigen« Fries beglückwünscht, und Klimt, der »Die drei Lebensalter« aus der »Höllenpforte« des französischen Bildhauers schöpft, bewundern sich gegenseitig.

Bildnis Margaret Stonborough-Wittgenstein, 1905
Dieses Mal handelt es sich nicht um ein »Ehefrauen-«, sondern um ein »Tochterporträt«, das der Vater als Hochzeitsgeschenk in Auftrag gegeben hat. Als eine der Hauptfiguren der intellektuellen und kulturellen Elite Wiens hatte Margaret Spaß daran, dieses dekorative Meisterwerk im Mittelpunkt ihres kubistischen, ganz weiß gestrichenen Hauses zu postieren.

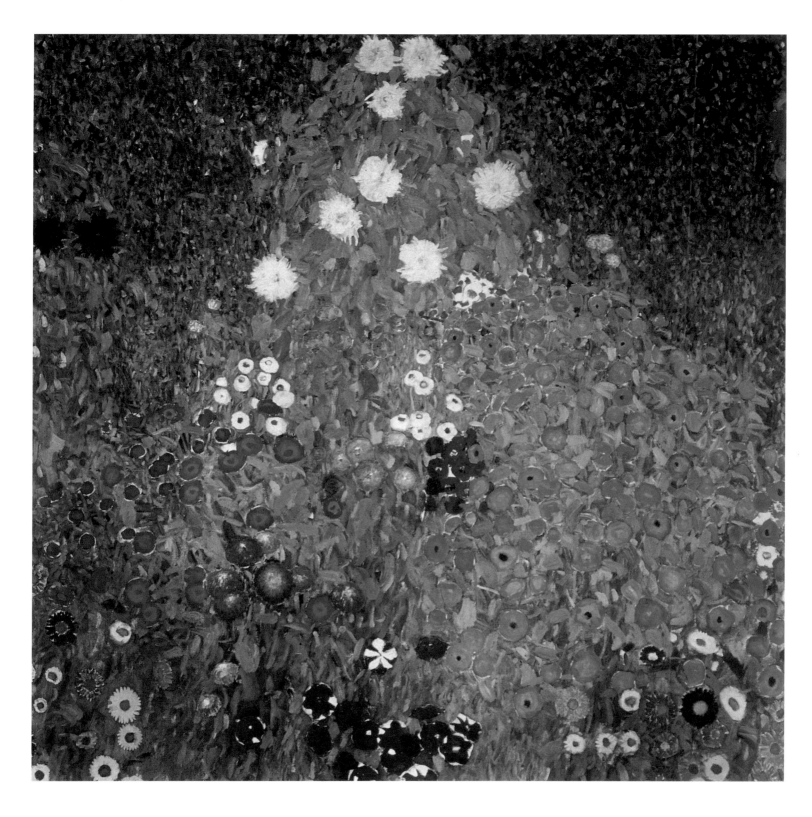

***Bauerngarten (Blumengarten)**, 1905/06*
Klimts Blumengarten – die Darstellung eines Teiles des großen
Ganzen, einer umfassenderen, von mystischer Kraft erfüllten
Einheit. Wie Monets Seerosen überfluten seine Blumen den
ganzen Raum.

Gustav Klimt war kein Gesellschaftsmensch – eher war er
schweigsam und lebte zurückgezogen, die Einsamkeit suchend.
So fand er im Garten seines Ateliers nicht nur Anregungen für
seine Blumenbilder, sondern schöpfte hier überhaupt die Kraft
für seine Bilder.

Birnbaum, 1903
Für seine Landschaften wählte Klimt das quadratische Format. Es handelt sich dabei nicht um eine zufällige oder bequeme Wahl. Nach Klimts eigener Aussage »ermöglicht es dieses Format, das Sujet in eine Atmosphäre des Friedens zu tauchen. Ein quadratisches Bild wird so Teil eines universellen Ganzen.«

Ausschnitt des Universums, was seinem Anliegen sehr entgegenkommt. Malewitsch verfolgte ähnliche Ziele mit seinem »Weißen Quadrat auf weißem Grund«, das für ihn noch eine Stufe über dem christlichen Kreuz stand – als Symbol des Kosmos. Für Klimt wie für den späten Monet ist die bemerkenswerte Eigenschaft des Quadrats, daß man es in jeder Richtung bearbeiten kann, ohne dem Bild ein Zentrum geben zu müssen. So bedecken die Seerosen Monets das ganze Bild und könnten sich über die Ränder hinaus fortsetzen – genauso bei den Landschaftsmotiven Klimts – es sind Ausschnitte des Universums. Im Unterschied zu den französischen Impressionisten sind es nicht die Wetterstimmungen und Lichtverhältnisse in der Natur, die Klimt interessieren, sondern die partielle Darstellung eines großen Ganzen von mystischer Kraft. Dies zeigt sich schon in den erstaunlichen Wasserbildern, die er im Sommer 1898 am Attersee zu malen begann, wohin er von der Familie Flöge eingeladen war. Es wird noch deutlicher in seinen Waldbildern. Die Methode in dem Bild *Birnbaum* (Abb. S. 52) z.B., die sich dem Pointillismus der Neoimpressionisten annähert, schafft einen Rhythmus, der sich ewig fortsetzen könnte, und erzielt durch die Art, wie Baum und Blattwerk gemalt sind, den Eindruck unendlicher Materie. Bei dem *Bauerngarten mit Sonnenblumen* (Abb. S. 53) oder dem *Bauerngarten* (Abb. S. 50) denkt man eher an einen »Auszug« aus einer Landschaft, eine Art bedruckten Stoff mit dem Thema der wuchernden Vegetation, als an van Goghs symbolische Bedeutung der Sonnenblume, die wie Feuer brennt und sich wie ein Auge öffnet. Und doch wollen beide mit diesen Bildern

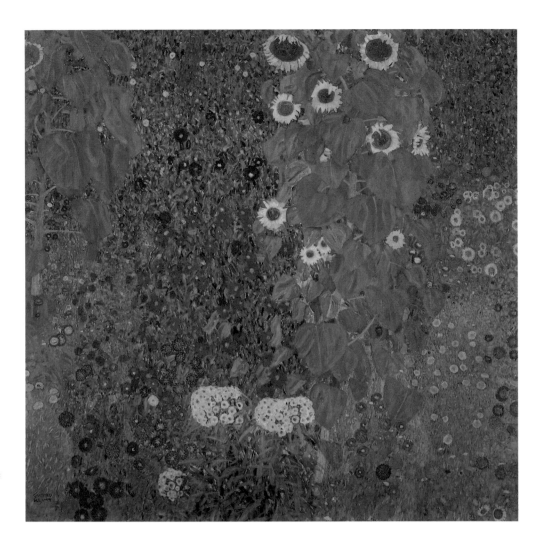

Bauerngarten mit Sonnenblumen, 1905/06
Wenn er die für van Gogh so wichtige Sonnenblume malt, macht Klimt daraus nicht wie
dieser ein Feuer, das brennt und verschlingt,
sondern – das Schimmern eines Kleiderstof-
fes, den eine »liebende Fee« trägt. (Hevesi)

dieselbe unaussprechliche Bedeutung einfangen: das, was wir nicht verstehen
können . . . Aber im Falle van Goghs ist die Sonnenblume eine übernatürliche
Sonne, die blendet und auf Dauer töten oder verrückt machen kann. Bei Klimt
hat sie eine mystische Aura, wie es Ludwig Hevesi ausmalt: »Eine einfache
Sonnenblume, die Klimt in das blühende Durcheinander hineinpflanzt, steht
da wie eine verliebte Fee, deren grünlichgrauliches Gewand leidenschaftlich
erschauernd niederfließt. Das Gesicht einer Sonnenblume, so heimlich dunkel
in seinem hell goldgelben Strahlenkranz, es hat für den Maler etwas Mysti-
sches, man könnte sagen Kosmisches. Sieht nicht eine Sonnenfinsternis so
aus?«[9]

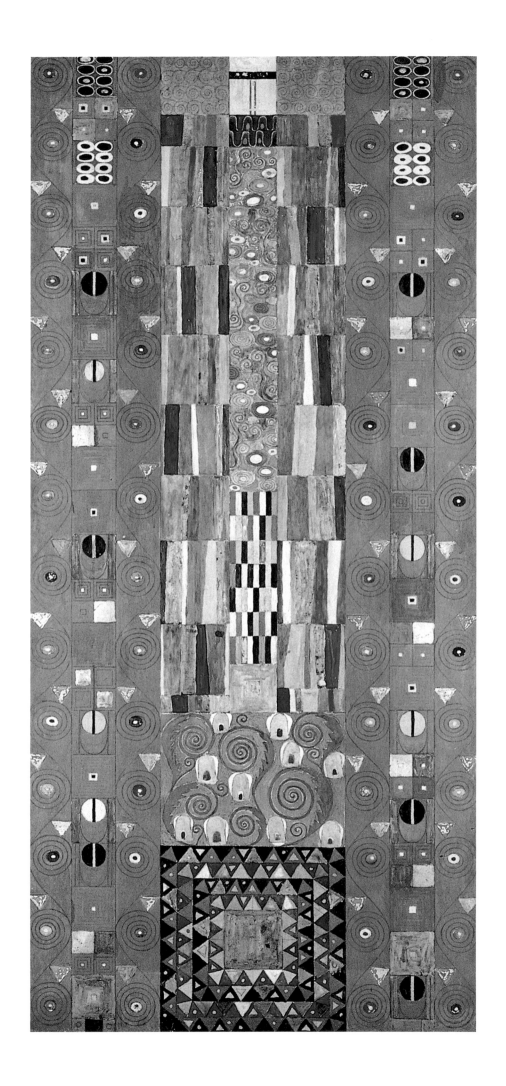

Die exotischen Mosaiken der Villa Stoclet

In der letzten großen Wandgestaltung Klimts, dem *Stocletfries* (1905–1909), ist erneut der Kreislauf des Lebens thematisiert, aber eindeutig heiterer als im Beethovenfries. Der belgische Industrielle Adolphe Stoclet lebte mit seiner Frau Suzanne Stevens in Wien, und so gab er bei den Wiener Werkstätten, bei Josef Hoffmann und Gustav Klimt, ein neues Wohnhaus in Brüssel in Auftrag – ein Wohnhaus, das in Größe und Anspruch eher einem Palast entsprach. »Es handelte sich darum«, erklärt Hoffmann, »mit Hilfe seiner Architektur die alten Stilelemente durch neue Motive zu ersetzen . . . und die richtige Form und den auf die genauesten Proportionen reduzierten Nutzen zu finden.«[10] Nach den Prinzipien der Secessionisten soll eine Interaktion zwischen den Künsten bestehen: der Architektur, der Malerei und der Bildhauerkunst. »Der Maler wird aufgefordert werden, den Innenraum zu gestalten. Er wird nicht mehr gezwungen sein, figurative Dinge darzustellen, sondern wird seinen Ausdruck ganz einfach vermittels der Verteilung verschiedener Farben finden, ohne auf erzählende Details zurückzugreifen.«[11]

Diese Auffassung deckt sich mit der des Duos Le Corbusier und Léger: »Bringen wir das Bild auf die Straße, Genossen, damit alle davon profitieren.« Die Anhänger des Purismus haben die gleichen Ziele wie die Secessionisten. Die Puristen sehen in einer nackten Mauer eine »tote Fläche«, eine farbige Wand wird dagegen zu einer »lebenden Fläche«. Eine farbige Fläche wirkt »entweder als dekorative Begleitung oder als Zerstörung der Wand« (Léger). Damit will der Maler der »Konstrukteure« sagen, daß sich die von ihm als »bewohnbares Rechteck« bezeichnete Wohnung in ein »elastisches Rechteck« verwandeln kann, daß z.B. eine gelbe Wand verschwindet (Zerstörung der Wand), während andere Wände, je nach Wahl der Farben, »vorrücken« oder »zurückweichen« . . . Schlußfolgerung: »Die Farbe ist ein starkes Aktionsmittel, sie kann eine Wand zerstören, sie kann sie schmücken, sie kann sie vorrücken oder zurückweichen lassen, sie schafft diesen neuen Raum . . . Die vollkommene Schönheit durch das Gleichgewicht neuer plastischer Kräfte erreichen . . . Dies ist die Aufgabe der modernen Architektur.« (Léger)

Josef Hoffmann sieht die Wandgestaltung eher ornamental als in großen Flächen. Seiner Ansicht nach muß die ornamentale Konzeption der Wiener Werkstätten eine Osmose mit der Architektur eingehen – daher seine Zusammenarbeit mit Klimt. Sein *Palais Stoclet* (Abb. S. 55 oben) besteht aus einer Ansammlung von »bewohnbaren Kuben«, die mit großflächigen, weißen Marmorplatten verkleidet sind, deren geometrische Formen durch kupferne Winkelschienen entlang der Kanten hervorgehoben werden. Klimt seinerseits ent-

Josef Hoffmann: Palais Stoclet, Brüssel. Außenaufnahme (oben) und Speisesaal mit Mosaiken nach G. Klimt, 1905–11

Der Stocletfries, 1905–09
Als gewolltes Echo auf Architektur und Mobiliar spielen die dekorativen Tafeln von Klimt mit der geometrischen Abstraktion.

Die Erwartung, Werkvorlage zum *Stoclet-fries,* um 1905–09

Das unter einem der Bäume der Erkenntnis tanzende Mädchen stellt die Erwartung dar, die Haltung der jetzigen, auf die Femmes fatales folgenden Frauen Klimts. Ihre Darstellung ist von der orientalischen Kunst beeinflußt, die von den Stoclets gesammelt wird und die Klimt einbeziehen wollte, um eine den Auftraggebern gemäße Umgebung zu schaffen.

Die Erfüllung, Werkvorlage zum *Stocletfries,* um 1905–09

Die Gestaltung des Paares, die auf den *Kuß* vorbereitet, zeigt die Mosaiktechnik, die Klimt schon in seiner Jugend kennenlernte und bei einer Reise nach Ravenna wiederentdeckte.

wirft ein ornamentales, dreiteiliges Mosaik aus mit Gold, Emaille und Halbedelsteinen eingelegtem Marmor.

Dieses Zusammenwirken der Künste ist ein Meilenstein der Kunstgeschichte. In den zwanziger Jahren wird es zum Credo des Bauhauses wie auch der russischen Konstruktivisten werden. Diese wollen es jedoch – wie auch Le Corbusier und Léger – dem ganzen Volk zukommen lassen, während Hoffmann und Klimt ihre Ideen nur unter dem Schutzmantel eines Mäzens verwirklichen können – also gewissermaßen elitäre Ansprüche bedienen.

In den neun Tafeln von Klimts Fries tauchen sowohl abstrakte (vgl. die dekorative Tafel, Abb. S. 54) als auch stilisierte (*Lebensbaum*, Abb. S. 58) und figürliche Motive auf (*Die Erfüllung*, Abb. S. 56, *Die Erwartung*, Abb. S. 56). Bei diesem Meisterwerk hat sich Klimt wie in keinem anderen an der Mosaiktechnik orientiert. Diese Technik hatte er auf der Kunstgewerbeschule erlernt und später bei einer Reise nach Ravenna wiederentdeckt. Der Kunst des Mosaiks wird in jenen Jahren vor allem von den Wiener Werkstätten besondere Aufmerksamkeit gewidmet, es wird wiederbelebt und erneuert.

Die Stoclets sind große Sammler, die sich vor allem für indische und buddhistische Kunst begeistern, von der sie viele Stücke besitzen. Diese Leidenschaft für den Fernen Osten will Klimt in Betracht ziehen, um das ihnen gemäße Ambiente zu schaffen, und so macht er sich ohne Zögern an das Studium dieser Kunst. In seinen Entwürfen schlägt sich also sowohl die Erinnerung an die byzantinischen Mosaiken von Ravenna als auch die fremde Welt des Fernen Ostens nieder. Doch aus ihren byzantinischen Voluten wird bei ihm ein exotisches Wuchern, eine Sprache der biologischen Ornamentik.

Der Lebensbaum ist das zentrale Motiv des Frieses. Nach der Apokalypse bringt er den Heiden Heilung, ist ein Symbol des Goldenen Zeitalters, das später auch Matisse in seiner berühmten Kapelle in Vence aufnimmt. Für Klimt ist er ein Symbol, in dem sich alle für ihn wichtigen Themen vereinigen, von der Blume zur Frau, vom Sterben der Vegetation zur Wiedergeburt der Jahreszeiten. Bäume und Frauen vermischen sich in einer paradiesischen und bezaubernden Welt, einer Welt, in der man tanzt, in der man sich liebt, in der die selbst zu Bäumen gewordenen Frauen – so wie die Platanenfrauen bei Matisse – die ganze Natur überwuchern. Baum des Lebens, Baum der Erkenntnis, man ist wirklich im Paradiesgarten. Das unter einem der Bäume tanzende Mädchen stellt *Die Erwartung* dar (Abb. S. 56). Das Paar, das sich unter dem anderen Baum umarmt, ist *Die Erfüllung* (Abb. S. 56). Und natürlich ist auch der Tod gegenwärtig, wie es für Klimt und Freud zum normalen Lebenszyklus gehört. Er tritt hier in Form der im Lebensbaum sitzenden Raubvögel auf (Abb. S. 58). Aus dem sich umarmenden Paar, das sich auf dem »Beethovenfries« noch bekämpfte, ist in dem *Stocletfries* ein friedliches Symbol des häuslichen Glücks, der Erfüllung, der Lebensfreude geworden.

Dieses Motiv erweitert Klimt wenig später zu dem berühmten *Kuß* (Abb. S. 63), der die Krönung seiner »goldenen Phase« und das Emblem der Secession werden sollte. Diese Version wird ein noch deutlicheres Symbol für die Versöhnung der Geschlechter und ihre Vereinigung. Man hat mit ironischem Unterton den *Kuß* von Klimt mit der *Mona Lisa* verglichen, da beide Bilder in ihrer komplexen Bedeutung eine ähnliche Faszination ausüben. Einige sehen mit diesem Bild eine Entwicklung in Klimts Werk, da er nun eine Vereinigung malen könne, während er doch bis dahin vor allem den Kampf der Geschlechter thematisiert habe. Andere hingegen meinen, daß Klimt seine Weltsicht nicht geändert habe und auch in diesem Bild auf eine noch subtilere Weise gerade die Unmöglichkeit der Erfüllung beschreibe, die sich aus den Spannungen zwischen Mann und Frau ergibt. Bedeuten also die quadratischen ornamentalen Formen für den Mann und die kreisförmigen für die Frau Ergänzung oder Antagonismus? Scheinen die beiden Personen nicht trotz ihrer Umarmung eine gewisse Distanz zu wahren, als ob es zwischen ihnen keine Beziehung gäbe? Dieses Mal ist es jedenfalls eindeutig der Mann, der dominiert und die Initiative zum Kuß ergreift. Die Frau läßt ihn über sich ergehen, doch ihre Hände krampfen sich zusammen, ihre Zehen krallen sich an den Felsen: aus Lust oder aus Zorn? Klimt kennt die zwiespältige Beziehung zwischen den ewig gültigen Gestalten Adam und Eva gut, denn er hat sich selbst in Adam dargestellt und hält Emilie Flöge, seine Geliebte, in den Armen.

In jedem Fall aber wird die direkte sexuelle Darstellung durch die einhüllenden Gewänder entschärft. Mit virtuosen Farbakkorden nähert sich Klimt den Illuministen des oströmischen Reiches an. Seine Vorliebe für überreichen Dekor läßt ihn die intime Szene wie durch ein Kaleidoskop betrachten. Das Gold umgibt das Paar mit einer Aura, und das kostbare Material verleiht auch

Der königliche Schreiber Ptahmose, XIX. Dynastie

dem Bild die Wirkung einer atemberaubenden Preziose. Mit diesem »Kunst-griff« wird aus dem Tabuthema »Kuß« eine Version, die nicht nur der Zensur entgeht, sondern auch die Begeisterung des Publikums und die Anerkennung des puritanischsten Bürgertums gewinnt. Klimt hat seinen »Coup« diesmal so gut gelandet, daß sein Beitrag zur modernen europäischen Kunst endlich anerkannt wird. Noch vor Schließung der Kunstschau 1908, auf der der *Kuß* ausgestellt ist, wird das Bild vom österreichischen Staat angekauft.

Diese Ausstellung aber markiert trotz des Klimtschen Meisterwerkes den Schwanengesang des Wiener Ästhetizismus. Merkwürdigerweise wird Klimt gerade in dem Augenblick rehabilitiert, als die Secession endgültig stirbt. Er wird sogar vom Staat aufgefordert, die Eröffnungsrede für diese große Ausstel-lung zu Ehren des sechzigsten Regierungsjubiläums von Franz Joseph zu halten. Klimt nimmt dies zum Anlaß, seine künstlerischen Überzeugungen darzulegen, die ungeachtet der Entwicklung seines Werkes seinen Grundge-danken verhaftet bleiben. Seine Überzeugung ist, daß »kein Gebiet mensch-lichen Lebens zu unbedeutend und gering ist, um künstlerischen Bestrebungen Raum zu bieten, daß . . . auch das unscheinbarste Ding, wenn es vollkommen ausgeführt wird, die Schönheit dieser Erde vermehren hilft und daß einzig in der immer weiter fortschreitenden Durchdringung des ganzen Lebens mit künstlerischen Absichten der Fortschritt der Kultur gegründet ist.«[12]

In dieser Kunstschau werden noch zwei weitere Bilder Klimts ausgestellt, die Allegorien *Die Hoffnung II* (Abb. S. 45 rechts) und *Danae* (Abb. S. 64). Auch hier hat Klimt seine Aussage abgemildert. So wie er seine anstößig nackten Modelle mit vielfarbigen Motiven ausschmückt, so hat er auch die schockie-rende Darstellung der aggressiven Nacktheit in *Die Hoffnung I* (Abb. S. 44 rechts) in der zweiten Version durch symbolische Motive verdeckt. Wie beim *Kuß* oder den *Drei Lebensaltern* ist *Die Hoffnung II* als Ikone gedacht, deren lebhafte Farben eine weniger bittere Interpretation des Themas erlauben. Man darf jedoch nicht glauben, daß Klimt, auch wenn er sanfter erscheint, seine Weltanschauung geändert hatte – er gibt sich nur versöhnlicher.

Gibt es eine schönere Darstellung der Liebesekstase als die seiner *Danae* (Abb. S. 64)? Nachdem Zeus Danae in Gestalt eines Goldregens »besucht« hat, wird ein Sohn geboren: Perseus. Klimt hat für seine Darstellung genau den Moment der Empfängnis des Perseus gewählt, die in keiner Weise unbefleckt ist. Ein Strom von Goldstücken, vermischt mit vergoldeten Samen, ergießt sich zwischen die gewaltigen Schenkel der schönen Schlafenden. In gewisser Weise handelt es sich um eine Vergewaltigung, da anzunehmen ist, daß die – passive – Heldin nichts von dem Geschehen bemerkt. Und so sind wir, die Betrachter der Szene, wie die Wiener der damaligen Zeit, in der Tat zugleich Komplizen und Voyeure angesichts des unbewußten erotischen Erlebnisses der schlafenden Danae. Dieses Geheimnis der weiblichen Sexualität strahlt die unmittelbarste Erotik aus, was durch das Bild dieses üppigen weiblichen Körpers in Großauf-nahme verstärkt wird. Das Modell selbst ähnelt den mit Vorliebe rothaarigen, in Pin-up-Girls verwandelten Femmes fatales, die Klimt liebt und deren Form bald seine Najaden, seine Nymphen und sogar die feindlichen Gewalten auf dem Beethovenfries angenommen haben. Aber mehr denn je handelt es sich um die Frau als Trägerin des Lebensgeheimnisses und das zentrale Objekt des Interesses für den Mann und den Künstler Klimt. Diese Neugier treibt ihn unablässig dazu, die Frau in allen Stellungen und Situationen zu beschreiben, sogar als Lesbierin in den *Wasserschlangen* (Abb. S. 46 rechts und 47).

Klimt und Emilie Flöge.
Der Maler hat für den Modesalon seiner Freundin das Kleid entworfen, das sie hier trägt, und auf dem man die bei den Seces-sionisten so beliebten Schachbrett- und Streifenmuster in Schwarz und Weiß findet.

Lebensbaum, Werkvorlage zum *Stocletfries,* um 1905–09
Das ist der Baum der Erkenntnis, von dem in der Apokalypse gesprochen wird, dieses Symbol des Goldenen Zeitalters, das den schwarzen Vogel, das Symbol des Todes, in Frage stellt. Dies ist der normale Kreislauf des Lebens, wie ihn Klimt und Freud ver-stehen.

Diego Velázquez: *Infantin Maria Teresa,* um 1652

Bildnis Fritza Riedler, 1906
Auch wenn es sich um ein sehr würdevolles Modell handelt, so ist bei Klimt der Dekor niemals unschuldig, selbst wenn er sich wie hier als Fächerhut nach dem Vorbild von Velázquez verkleidet. Der Maler drückt ständig den Erotismus seiner persönlichen Weltsicht durch einen sexuellen Symbolismus aus, der sich durch die Macht der Häufung schließlich in das Unterbewußtsein des Betrachters einprägt. Man kann auch sagen: des Voyeurs.

Der Mythos der Danae ist nur ein Vorwand, um die weibliche Liebesekstase darzustellen, so wie sie Klimt vielleicht erlebt hat. Ebenso malt er zur gleichen Zeit eine *Judith II* (Abb. S. 29) – oder Salome, wenn man so will –, dieses Mal von der Sage entfernt, die ihm bei *Judith I* (Abb. S. 28 rechts) solche Anfeindungen eingebracht hatte. Dennoch ist hier wieder die Frage, ob es sich um eine Judith handelt, die ihre Verführungskünste benutzt hat, um Holofernes in eine tödliche Falle zu locken, oder aber um eine Salome, die nach dem Kopf des Täufers verlangt, weil er sich geweigert hat, ihrem Charme zu erliegen. Das Wallen von Körper und Kleid vermittelt den Eindruck des Tanzes, zugleich und vor allem ist hier aber eine ihren Leidenschaften verfallene Frau aus der dekadenten Wiener Gesellschaft dargestellt. Sie wirkt wie ein buntgefiederter Vogel beim Zerstückeln und Verschlingen seiner bevorzugten Beute – des Mannes –, gefangen in ihrem goldenen Käfig, aus dem sie nicht entrinnen kann.

Den gleichen Eindruck von einem Vogel in einem goldenen Käfig hat man auch vor den Bildnissen der *Adele Bloch-Bauer I* (Abb. S. 62) und *Fritza Riedler* (Abb. S. 61). Erinnern nicht diese beiden großen Frauen der Wiener Gesellschaft an ängstliche, zumindest aber frustrierte Gefangene ihrer Schicht und ihres Reichtums? Diese Frauen gleichen sehr denen bei Velázquez, deren Porträts Klimt in Wien gesehen hat. Auch sie scheinen von einer schweren Erbschaft erdrückt zu werden, von der traurigen Realität des Lebens und dem Niedergang Spaniens – so wie man jetzt den Niedergang Österreichs erlebt. Aber wie Velázquez versteht es auch Klimt, die Illusion des Lebens ganz wiederzugeben. Es ist auch die Art von Ingres oder Matisse, in der es ihm gelingt, uns in diesen Porträts »das geheimnisvolle Objekt der Begierde« vorzuführen. Die Erotik bricht sich Bahn, Phantasien sprengen den überkommenen Rahmen. Das Kleid wird eins mit dem Körper, der Stoff vermischt sich mit dem Fleisch. Schultern und Arme spiegeln die erdachten Gewebe, die Falten der Kleider sind wie die der Haut – Kleider, die Klimt vielleicht auf nackte Körper gemalt hat und die plötzlich wieder verschwinden und wiederum der triumphalen Nacktheit Platz machen könnten . . . Alle diese Porträts haben eine Tendenz zur Sinnlichkeit wie auch zur höchsten graphischen Vollendung. Das Raffinierte ist, daß diese Frauen die Begierde, die sie wecken, ignorieren oder zu ignorieren vorgeben. Locken sie, so tun sie es unbewußt. Sie wirken wie sanfte, unterwürfige Geschöpfe, die so wenig wie möglich denken und sich gern auf Sofas ausstrecken. Erotik pur! Die gleiche Atmosphäre herrscht bei *Madame Moitessier* von Ingres (1856), *La Dame en bleu* (Die Dame in Blau) von Matisse (1937) wie bei dem *Bildnis Adele Bloch-Bauer I* (1907) von Klimt. Bei Klimt aber ist es eine pervertierte Erotik. Wenn auch seine Modelle hieratisch sind, Dekor und Stoffe sind es nicht. Welchen Sinn haben in dem Dekor des Sessels der Fritza Riedler oder des Kleides von Adele Bloch-Bauer all diese beobachtenden Augen, diese Variationen phantastischer Ornamente und Farbflächen, durch die eine zweideutige Beziehung zwischen den Formen entsteht, diese von erotischen Symbolen überladenen dekorativen Motive, die ein Strudeln und Treiben bewirken, dieser Kontrast zwischen den realistischen, fein gezeichneten, unbeweglichen Gesichtern und Händen und dem dekorativen Irrsinn, durch den das erotische Klima geschaffen wird? Dazu der Kunstkritiker und glühende Verteidiger Klimts, Ludwig Hevesi: »Das Ornament Klimts ist bildlicher Ausdruck der ursprünglichen Materie, die ständig, ohne Ende, in Veränderung begriffen ist, die sich in Spiralen windet, schlängelt, sich verfängt, ein reißender Wirbel, der alle Formen annimmt, wetterleuchtende

Bildnis Adele Bloch-Bauer I, 1907
Realismus und Abstraktion gehen in diesem Porträt wie im
Stocletfries eine Synthese ein. Klimt bedeckt die Oberfläche
mit byzantinisch anmutendem Dekor, den er bereits bei seinen
Landschaften verwandte. Fremdartige Zeichen wie z.B. das ägyp-
tische Auge in einem Dreieck oder die mykenische Volute – bei
Klimt beliebte Motive – werden erst auf den zweiten Blick sichtbar.

Der Kuß, 1907/08
Klimt entwickelt sich weiter: Seine sonst dominierende Femme
fatale ordnet sich hier unter. Sie bietet sich dem Mann dar
und gibt sich ihm hin, und das schimmernde Gewand läßt die
unverhüllteste Sexualität durchscheinen. So umgeht das Tabuthema »Kuß« die Zensur, und Klimt. der den puritanischen Wie-
nern den Spiegel ihrer Heuchelei vorhält, wird vom Publikum
enthusiastisch gefeiert. Die Modelle des Bildes: Klimt selbst, der
seine Geliebte Emilie in den Armen hält.

Danae, 1907/08
Nach der Umarmung des Kusses geht Klimt noch unverblümter vor: Hier wird nun die Liebesekstase in dem Moment dargestellt, da sich zwischen die riesigen Schenkel der schönen Schlafenden der mit vergoldeten Samenfäden vermischte Strom von Goldstücken ergießt, die von Zeus gewählte Form, um die Heldin, Symbol der fleischlichen und sinnlichen Schönheit, zu »besuchen«.

Zebrastreifen und hervorschnellende Schlangenzungen, Schnörkel aus Weinranken, Geschmeidigkeit von Ketten, fließende Schleier, zarte Netze.«[13]

Diese Ornamentik wird in den Werken Klimts immer reicher. Dieser Überschwang hat vielleicht einen zusätzlichen Grund. Emilie Flöge, seine Lebensgefährtin, hat in Wien einen Modesalon, und Klimt entwirft die meisten Stoffe, die zu einem guten Teil zum Erfolg ihrer Haute-Couture-Modelle beitragen, die sie den reichen Damen aus dem Wiener Bürgertum verkauft. So trägt sie auf dem Foto, das sie zusammen mit Klimt zeigt (Abb. S. 59), ein von dem Künstler entworfenes Kleid, auf dem man die bei den Secessionisten beliebten Motive des Schachbretts und der Streifen in Schwarz und Weiß findet. Diese dekorativen Attribute sollen darüber hinaus den wie Göttinnen thronend dargestellten Frauen von Industriellen oder Magnaten ein würdiges und monumentales Aussehen verleihen. Das prächtige, »imperiale« Gold verstärkt die majestätische Erscheinung der Damen. Ein zeitgenössischer Kritiker spricht im Zusammenhang mit dem Adele-Porträt von einem »Idol im goldenen Schrein«, ein Ausdruck, der das Bild der Kaiserin Theodora in Erinnerung ruft, das Klimt unter den Mosaiken von San Vitale gesehen hat.

Das Gold als wiederkehrendes Element hat in Klimts Œuvre unterschiedliche Bedeutungen. In den ersten Werken unterstreicht es den sakralen, magischen Charakter bestimmter Objekte – wie der Kithara der Priesterin Apollons in *Musik II* oder des Helms und der Waffen in *Pallas Athene*. Wenn er später seine *Femmes fatales* in goldene Gewänder hüllt – so in der *Judith*, in *Goldfische* oder der *Jurisprudenz* –, dann verstärkt das ihre suggestive Macht. Aber selbst in der »goldenen Phase« Klimts wird Gold nur in solchen Bildern dominierend eingesetzt, die vom Schicksal des Mannes handeln. So gehören diese Bilder einer bestimmten Gattung an – den »Lebensrätseln«.

Diese »goldene Phase« Klimts, gewissermaßen sein »Goldenes Zeitalter« beginnt mit dem *Bildnis der Fritza Riedler* (Abb. S. 61) von 1906 und endet mit demjenigen der *Adele Bloch-Bauer I* von 1907 (Abb. S. 62), das zugleich den Höhepunkt dieser Phase darstellt. Zweifellos ist sich Klimt vor dieser riesigen goldenen und vergoldeten Dekoration, vor diesem Schwelgen im Gold des Hintergrundes und der kostbaren Kleidung dieser Frau über die Gefahr klar geworden, die eine überladene Ornamentik für seine Malerei bedeutete. Diese Goldschnittporträts der Damen gehören aber trotz allem innerhalb seines Werkes zu den wichtigsten Darstellungen der Frau auf der Schwelle zu einem neuen Jahrhundert. Diese Frauen sind hin- und hergerissen zwischen der konservativen Tradition, der sie sich fügen müssen, während sie sich andererseits der beginnenden Emanzipation bewußt werden.

In der Zeit seiner persönlichen Triumphe beginnt Klimt zu zweifeln. Die Secession, die ideale Harmonie der Künstlerschaft, hat sich als Utopie erwiesen. Das Konzept scheint für ihn gealtert – obwohl es doch immer wieder aufleben wird. Aber Klimt fühlt sich isoliert. Er ist nicht mehr das Leitbild. Bertha Zuckerkandl vertraut er an: »Die Jungen verstehen mich nicht mehr. Gehen anderswohin. Ja, ich weiß gar nicht, ob sie mich überhaupt gelten lassen. Es ist ein bißl früh, daß mir das geschieht, was ja allgemeines Künstlerlos ist. Immer wird die Jugend im ersten Ansturm das Gewordene niederreißen wollen. Aber deshalb werde ich noch nicht mit ihnen grantig sein.«[14]

In Wirklichkeit ist er für diese jungen Künstler Egon Schiele und Oskar Kokoschka – ein Gott. Aber das, was man als die »Wahrheit« des Kunstwerks bezeichnet, ist Veränderungen unterworfen. Die im Übermaß ausgeschmückte Bildwelt von Klimt scheint recht versöhnlich und optimistisch, verglichen mit der zerrissenen Welt Schieles, die besser noch mit dem »Weltuntergangslaboratorium« übereinstimmt, wie das Wien vor 1914 genannt wird. Die Wiener Präexpressionisten Schiele und Kokoschka haben, abgesehen von ihrer Verehrung Klimts, eine stärkere Vorahnung von dem endgültigen Niedergang und der kommenden Katastrophe. Es ist jetzt an ihnen, Einfluß auf ihr Idol auszuüben. Wenn die Wirkung Klimts in den Jahren um 1910 für Schiele entscheidend war, so entwickelt sich nun eine umgekehrte Beeinflussung, etwa so wie zwischen dem alten Manet und dem jungen Monet. Dies wird in einer späten Komposition Klimts deutlich: Seine *Leda* (Abb. S. 65 unten) nimmt ein Bild Schieles wieder auf. Dieses Beispiel zeigt sowohl die Übereinstimmungen als auch den kreativen Wettstreit zwischen diesen beiden für das Wiener Schaffen der Epoche so wesentlichen Maler.

Egon Schiele: Entwurf für *Danae*, 1909

Entwurf für *Leda*, 1913/14

Leda (zerstört), 1917
Nachdem er von Klimt gelernt hatte, beeinflußte Schiele seinerseits seinen »Gott«. Ein Beispiel für den schöpferischen Austausch, der die beiden größten Wiener Maler der Epoche verbindet.

Das magische Kaleidoskop

Mit dem Beginn des Expressionismus hat sich der vergoldete Stil Klimts über-
lebt, weil er erkannt hatte, daß Gold zu erstarrter Stilisierung führte, die jeden
psychologischen Ausdruck unmöglich machte. In der Ausstellung von 1909 war
er überwältigt von der Ausdrucksbreite eines Munch, eines Bonnard und eines
Matisse. Hier, meint er, liege von nun an sein wahres Arbeitsfeld. Noch im
selben Jahr fährt er nach Paris, wo er die Werke von Toulouse-Lautrec und den
Fauvisten entdeckt. Diese Begegnungen wirken wie ein Peitschenhieb und
ermöglichen letztlich die magische Synthese seiner kaleidoskopischen Spätwerke – Klimt erweist sich noch einmal als wandlungsfähig.

Der goldene oder byzantinische Stil, der zu prächtige Dekor, erdrückte
häufig die Person. So beschließt Klimt, Verkleidungen und Dekore zurückzu-
nehmen und Neues aus seinem reichlichen Vorrat an reizvollen Motiven zu
schöpfen. Bilder wie *Dame mit Hut und Federboa* (Abb. S. 68) und *Der
schwarze Federhut* (Abb. S. 69) sind die ersten, die eine radikale Wandlung
anzeigen, die allerdings nicht lange anhalten wird.

Klimt, der durch den Haute-Couture-Salon Emilie Flöges in der neuesten
Mode auf dem laufenden war, nimmt die modischen Toiletten und Accessoires
zu Hilfe, um seine Femmes fatales in harmlose Frauen zu verwandeln. Sie
stellen mit gespielter Bescheidenheit ihre extravaganten Hüte und ihre ebenso
riesigen wie kessen Pelzmuffs zur Schau.

Das große Spätwerk Klimts offenbart sich uns mit Porträts wie dem der *Mäda
Primavesi* (Abb. S. 66), einem Mädchen, das schon die neue Klimtsche Auffassung des Weiblichen ausdrückt: die Vermischung von Frau und Blumen-
ornament. So »wird die Anatomie der Modelle zur Ornamentierung und die
Ornamentierung zur Anatomie!« (Alessandra Comini). Höhepunkt dieses
neuen Stils stellt *Die Tänzerin* (Abb. S. 72) dar.

Zur weiteren Auflockerung seiner Dekorationen schöpft Klimt nun aus
Holzschnitten und Büchern über japanische Kunst aus seiner Sammlung. Wie
Monet oder van Gogh und alle Künstler und Intellektuellen der damaligen Zeit
ist Klimt fasziniert von japanischen Holzschnitten, von denen er einige auf der
Wiener Weltausstellung im Jahre 1873 gesehen hatte. Er selbst sammelt Holzschnitte und Gegenstände aus Japan und lernt aus ihnen viel für seine Zeichen-
kunst, vor allem die Komposition der wie aus der Vogelperspektive gemalten
kaleidoskopischen Gemälde. So liefern ihm die Japaner schon die Vorlage für
den Lebensbaum der *Erfüllung*, für die Blumen und Vögel des *Stocletfrieses*. Ihr
Einfluß scheint ihn auch darin zu ermutigen, die Hintergründe seiner Porträts
mit einem Überschwang von aus der japanischen Kunst geschöpften dekorati-

Kompositionsskizze, die Mäda Primavesi
darstellt, 1913

Bildnis Mäda Primavesi, um 1912
Die neue Weiblichkeit Klimts: Frau und
Blumen eng verwoben.

Dame mit Hut und Federboa, 1909
Mit dem Aufkommen der jungen expressionistischen Kunst von Egon Schiele und Oskar Kokoschka überlebte sich der vergoldete Stil Klimts. Dieser verzichtet daraufhin eine zeitlang auf ornamentale Ausstattung seiner Bilder zugunsten großer Flächen.

ven Motiven zu überladen, wie z.B. bei der *Tänzerin* (Abb. S. 72), dem *Bildnis Baronin Elisabeth Bachofen-Echt* (Abb. S. 80 rechts) oder dem *Bildnis Friederike Maria Beer* (Abb. S. 81 links). Man kann nicht umhin, diese Frauendarstellungen mit früher von Monet und van Gogh gemalten zu vergleichen. So ist Monets *Japanerin* (La Japonaise) von 1876 (Abb. S. 81 unten rechts), ein Porträt seiner Frau Camille mit Kimono und Fächer, von einem an Japan anklingenden Dekor umgeben – die Wände und der Fußboden sind mit verschiedenfarbigen Fächern bedeckt. Auch van Goghs Porträt *Vater Tanguy* (Le Père Tanguy, 1887, Abb. S. 81 oben rechts) zeigt den Kunsthändler inmitten von Holzschnitten von Hiroshige, die den ganzen Hintergrund des Bildes einnehmen.

Mit diesen neuartigen Werken findet Klimt nun ungebrochene Anerkennung. Die Unterlegung seiner Porträts mit Blumenmotiven spricht das Unterbewußtsein unmittelbar an, und so kommt der Künstler wieder in Mode. Die Neureichen buhlen um die Gunst, ein von Klimt signiertes weibliches Porträt zu besitzen, und die schönen Wienerinnen träumen davon, durch die Hand des Meisters unsterblich zu werden ...

Der schwarze Federhut, 1910
Hier ist der Einfluß von Toulouse-Lautrec
deutlich, den Klimt in Paris entdeckt hat und
dem er sich eine Zeitlang hingibt, als er sich
von seinem vergoldeten Stil abwendet. So
kann er sich gegen die Stilisierung wehren,
die sich als Sackgasse erwies. Sehr bald
jedoch wandte er sich mehr der Bewegung
und Farbe zu.

Themen dieser Porträts sind immer noch Eros und Kreislauf des Lebens,
aber die unangenehmen Aspekte sind verschwunden. Der Schritt von der
Femme fatale oder dem Vamp zum Pin-up-Girl oder zum Sexsymbol hat sich in
einer nur charmanten und anscheinend sehr viel unschuldigeren Erscheinungs-
form vollzogen. Ob es sich um *Adele Bloch-Bauer II* (Abb. S. 77), *Eugenia
Primavesi* (Abb. S. 78 rechts), die *Baronin Elisabeth Bachofen-Echt*
(Abb. S. 80 rechts) oder *Friederike Maria Beer* (Abb. S. 81 links) handelt, alle
diese Frauen, diese modernen Idole haben eins gemeinsam: Sie scheinen zu
warten – ein wenig wie große Puppen –, daß man sie aus ihrem Kasten nimmt
und sich mit ihnen beschäftigt ... Ist nicht die Erwartung seit dem *Mädchen aus
Tanagra* (Abb. S. 8) nur eine Variante dieses von Klimts Werk untrennbaren
Themas, Eros und der Kreislauf des Lebens? Es ist in einer anderen Facette
behandelt worden in der Schwangeren der *Hoffnung I* (Abb. S. 44 rechts), und
es lebt unablässig in den neuen Porträts der Frauen, die auf etwas hoffen ...
Die Phantasie des Künstlers macht nicht mehr bei der körperlichen Vereinigung halt, sondern konzentriert sich auf die ihr vorausgehende Erwartung.

Tod und Leben, 1916
Für Klimt gehört dieses Thema zu den zen-
tralen Grundgedanken. Doch es ist auch ein
Thema der Zeit – Edvard Munch und Egon
Schiele etwa behandeln es ebenfalls. Klimt
macht daraus einen modernen Totentanz,
der anders als bei Schiele, von einer versöhn-
lichen Sicht geprägt ist – die Menschen scheinen sich nicht vom Tod bedroht zu fühlen,
sie nehmen gar keine Notiz von ihm.

Vielleicht hat diese neue Heiterkeit ihre Wurzeln in der Tatsache, daß Klimt
das Alter und die Nähe des eigenen Todes spürt. Bevor er beginnt nur noch die
Momente intensiven Genusses oder wunderbarer Schönheit und Jugend festzuhalten, nimmt er noch einmal das Thema von *Tod und Leben* (Abb. S. 70) auf,
das zur selben Zeit Munch und Schiele behandeln. Joseph Roth beschreibt
diese Stimmung in der »Kapuzinergruft«: »Vielleicht schliefen in den verborge-
nen Tiefen unserer Seelen jene Gewißheiten, die man Ahnungen nennt, die
Gewißheit vor allem, daß der alte Kaiser starb, mit jedem Tage, den er länger
lebte, und mit ihm die Monarchie, nicht so sehr unser Vaterland, wie unser
Reich, etwas Größeres, Weiteres, Erhabeneres als nur ein Vaterland. Aus
unseren schweren Herzen kamen die leichten Witze, aus unserem Gefühl, daß
wir Todgeweihte seien, eine törichte Lust an jeder Bestätigung des Lebens: an

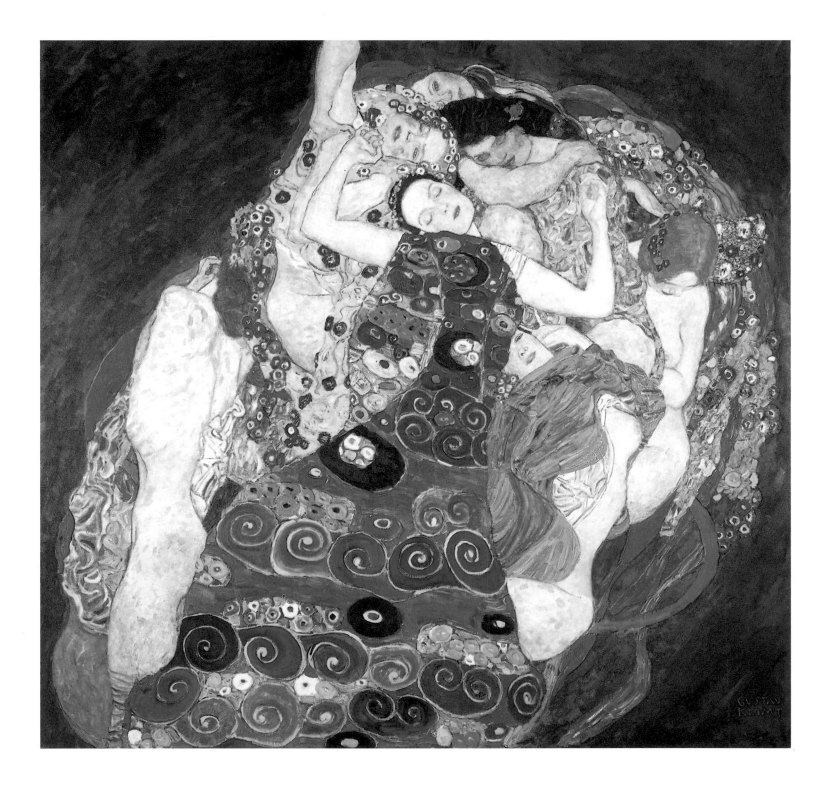

Bällen, am Heurigen, an Mädchen, am Essen, an Spazierfahrten, Tollheiten aller Art, sinnlosen Eskapaden, an selbstmörderischer Ironie . . .«[15]

Dieses junge Mädchen, ob es nun in *Tod und Leben* oder in *Die Jungfrau* (Abb. S. 71) dargestellt ist, scheint die Worte von Sissy, Elisabeth von Österreich, auszusprechen: »Der Gedanke an den Tod reinigt und wirkt wie ein Gärtner, der das Unkraut aus seinem Garten reißt. Aber dieser Garten will immer allein sein und ärgert sich, wenn Neugierige über seine Mauer schauen. So verstecke ich mein Gesicht hinter meinem Sonnenschirm und meinem Fächer, damit der Gedanke an den Tod friedlich in mir wirken kann.«

Um seine letzten pyramidenartigen Allegorien wie *Die Jungfrau* (Abb. S. 71), oder *Die Braut* (Abb. S. 91) zu malen, verwendet Klimt nur noch unvermischte Farben und die kaleidoskopische Anlage mit ihren labyrinthi-

Die Jungfrau, 1913
Auch hier verbindet Klimt mehrere Figuren miteinander, die, ineinander verschlungen von blumigem Dekor getragen wie eine schwebende Wolke erscheinen. Die verschiedenen Figuren veranschaulichen verschiedene Stadien des Erwachens der Sinne – das Mädchen wird zur Frau.

ABBILDUNG SEITE 72:
Die Tänzerin, um 1916–18
In den späten Porträts ist die Anatomie zur Ornamentik und die Ornamentik zur Anatomie geworden. Zur Feier dieser prächtigen Verbindungen, mit denen er sein magisches Kaleidoskop belebt, malt Klimt mit immer leichterer Hand.

Apfelbaum I, um 1912

Im Gegensatz zu seinen Porträts oder seinen allegorischen Kompositionen malt er die Landschaften – die ein großer Verkaufserfolg sind – zu seinem persönlichen Vergnügen, sie sind für ihn Gegenstand der Ruhe und Meditation.

Die Sonnenblume, 1906/07

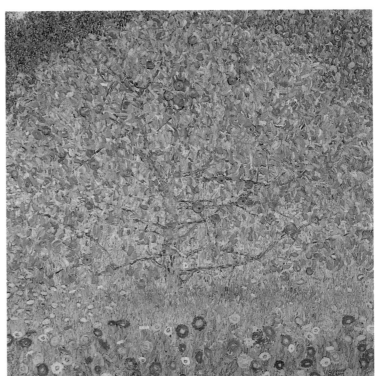

Bauerngarten mit Kruzifix, 1911/12

Mohnwiese, 1907

Klimt malt seine Landschaften vorzugsweise in den Ferien, frei, ohne Vorentwürfe. Etwa wie Renoir – um sich auszuruhen – mit den Farbresten, die er für seine Akte gebraucht hatte, Blumen malte. Klimts Landschaften sind so etwas wie seine Ferienhausaufgaben.

Schloß Kammer am Attersee III, 1910
Allmählich entwickeln sich die Landschaften
Klimts vom Tapisserie- oder Mosaikstil zu
einem Aufbau, der den aufkommenden
Kubismus widerspiegelt. Die Gegenden wer-
den urbaner, schließen Architektur ein, ver-
binden Wasser, Vegetation und Gebäude.
Nur der Mensch bleibt immer ausgeschlossen.

Forsthaus in Weißenbach am Attersee, 1912

schen Windungen. Immer erzählt er eine Geschichte: Das junge Mädchen wird
zur Frau, man erlebt das Erwachen ihrer Sinne, das zur Liebesekstase führen
wird. Die verschiedenen Stadien werden durch dasselbe sich vervielfältigende
Wesen dargestellt, wie im Traum. Die in verschiedenen Posen und Stimmungen voneinander losgelösten Teile weiblicher Körper scheinen wie eine dem
Wahnsinn verfallene Kamera zu kreisen. Die Pyramide vielfarbiger Kleider des
»Babys« – darunter die leere Hülle eines Frauenkleides – scheint das Kind wie
aus einem fröhlichen Wasserfall zu »gebären«. *Die Braut* (Abb. S. 91) gehört
einer noch neueren Entwicklung an, sicher unter dem Einfluß Schieles, die
durch den Tod abgebrochen wird . . . Der Strom der dekorativen Motive ist
immer noch gleich stark, das Gewicht scheint aber nun auf der geometrischen
Einteilung der Leinwand zu liegen. Das Gewirr der Personen scheint von
abstrakten Elementen im Zaum gehalten zu werden. Es wird immer schwieri-
ger, diese Spätwerke zu analysieren, ihr unfertiges Stadium macht es unmöglich, das geplante Ziel ihrer Entwicklung zu erraten.

Zur gleichen Zeit findet mit dem anderen, parallel zu den Frauenporträts
entstehenden Teil seines Werkes, eine ähnliche Entwicklung statt: den Landschaften. Es ist der Schritt von dem »Tapisserie-« oder »Mosaikstil« zu Landschaften, deren Aufbau Spuren eines beginnenden Kubismus zeigen. Anstelle
anonymer Teilausschnitte aus der Natur als Gesamtheit werden die Landschaften urban, enthalten Architektur, beziehen Wasser, Vegetation und Gebäude
ein. Mystischer Pantheismus ist immer noch präsent, wie auch der Mensch nach
wie vor unsichtbar bleibt.

Schloß Kammer am Attersee I, um 1908
In den Gemälden des Schlosses Kammer stu-
diert Klimt das Problem der Einbeziehung
eines architektonischen Elements in eine
Landschaft, d. h. den Eingriff des Menschen
in einen natürlichen Rahmen und die sich
daraus ergebende Wirkung. Wie Monet
benutzt Klimt ein Ruderboot und baut seine
Staffelei mitten im See auf.

Man hat sich gewundert, daß Klimt, der vor der Ausführung eines Porträts
oder einer Allegorie eine Unzahl von Studien zeichnete, anscheinend keine
einzige Entwurfszeichnung für seine unmittelbar im Freien gemalten Land-
schaften machte, er, der durch und durch ein Ateliermaler war. Es scheint
aber, als seien die Landschaften für ihn eine Gelegenheit zu Meditation und
Ruhe gewesen, ähnlich wie Renoir zur Erholung Blumen mit den Resten der
Farben malte, die er für seine Akte gebraucht hatte. Klimt verbrachte den
Sommer regelmäßig am Attersee, in der von der Familie Flöge bevorzugten
Sommerfrische. Von Klimt ist übrigens keine Winterlandschaft bekannt. Die
Umgebung des Attersees war so etwas wie seine »Ferienaufgabe«, und so
finden sich unter seinen 230 Gemälden 54 Landschaften. Dagegen sind nur drei
Landschaftsentwürfe unter Tausenden von Entwurfszeichnungen für Porträts
oder Kompositionen erhalten.

Das *Schloß Kammer am Attersee I* oder *III*, auch *Schloß am Wasser*
(Abb. S. 75; 74 rechts) genannt, fasziniert ihn besonders, denn an diesem Motiv
kann er das Problem der Einbeziehung eines architektonischen Elements in die
Landschaft studieren, d.h. einer menschlichen Schöpfung in die Natur. Wasser
bildet dabei das dritte Element. Um in Ruhe und ungestört zu malen, benutzt
er wie Monet ein Ruderboot und stellt so seine Staffelei mitten im See auf.
Die Kirche in Cassone (Abb. S. 76 links) stellt ein weiteres Stadium dar, in dem
die architektonischen Elemente stark kubistisch gefärbt sind. Die Zypressen
symbolisieren hier die Anwesenheit des Todes – sie werden oft auf Friedhöfen
angepflanzt, um dem Verfall der Körper entgegenzuwirken.

ABBILDUNG SEITE 77:
Bildnis Adele Bloch-Bauer II, 1912
Die prächtigen Geschöpfe Klimts, diese
modernen Idole, sind nach den Phasen der
Femme fatale, der Vamps oder Stars nun zu
einer Art großer Puppen geworden, die in
ihren schimmernden Schachteln liegen und
darauf warten, daß man sie herausnimmt . . .

Kirche in Cassone, 1913
Vegetation, Architektur und Wasser sind die
drei Elemente, die Klimt gern in seinen letzten Landschaften vereinigt, die letztes Endes
ein Ausdruck seiner Suche nach Gleichgewicht und Harmonie zwischen den verschiedenen Elementen sind. Um eine noch
engere Verbindung herzustellen, werden die
Bilder fast einfarbig und zeigen kubistische
Strukturen.

Es erstaunt ein wenig, daß er, der Kolorist, in seinen letzten Landschaften
der Jahre 1915 bis 1918 allmählich die gewohnten starken Farben zugunsten
einer ziemlich blassen Einfarbigkeit aufgibt. Diese düstere Stimmung findet in
seinen Porträts oder anderen Atelierbildern keinen Niederschlag, sondern nur
in den Landschaften, denn diese sind eher ein Teil seines Privatlebens. Mit
dieser düsteren Stimmung reagiert er wohl auf den Ausbruch des Ersten
Weltkriegs im Herbst 1914 und den Tod seiner Mutter im Jahre 1915.

Der Krieg beendete die große kulturelle Blüte Wiens, beendet eine ganze
Epoche, ein Jahrhundert. Was bleibt von Klimts Beitrag zu dieser Epoche,
welche Bedeutung hat sein Werk für die Nachwelt? Zunächst, daß er als
charismatischer Führer der Secession den österreichischen Malern zu Welt-
geltung verholfen hat. Daß er als Maler bestimmte Konstanten seiner Kunst
zum Ausdruck gebracht hat: das quadratische Format, die Diagonalkomposi-
tion, den asymmetrischen Bildaufbau, die geometrische Stilisierung, die Fassung der Sujets in Mosaiken, Hintergründe in Blattgold und -silber . . . und
einen starken erotischen Ausdruck. Und vor allem, daß ihm als einem der
ersten die Verbindung von Figürlichem und Abstraktem gelang, wenn man die
seine Porträts umgebenden Motive nicht für rein dekorativ hält, sondern als
abstrakte, autonome und irreale Welt um die Gesichter herum begreift.
Schließlich die Tatsache, daß er sich in seinen Landschaften radikal von der
impressionistischen Darstellungsweise und von van Gogh unterscheidet, mit
dem man ihn manchmal verglichen hat – durch die Dichte und den Reichtum
der Pflanzen, Blumen und Bäume, durch das völlige Fehlen von Personen, das
fast gänzliche Verschwinden von Horizont und Himmel, durch die unzähligen

Frau mit Hut und Tasche, rechts Wiederholung der Figur, Studie für das ***Bildnis Adele
Bloch-Bauer II***, 1912

Eugenia Primavesi in Winkelsdorf, n. d.

kleinen Punkte ohne eigentliche Ähnlichkeit mit dem Pointillismus und durch
seine ganz außergewöhnlich reiche Farbpalette . . .

Über dies alles, das nicht zu unterschätzen ist und das in der Kunst auf
vielerlei Art weiterleben wird, schreibt er bescheiden: »Malen und zeichnen
kann ich. Das glaube ich selbst, und auch einige Leute sagen, daß sie das
glauben. Aber ich bin nicht sicher, ob es wahr ist. Sicher ist bloß zweierlei:

Gartenweg mit Hühnern, 1916
Man kann nicht umhin, diese Landschaft mit diesem Porträt zu vergleichen, da sie in der Malweise und in der psychologischen Wirkung eine so starke Ähnlichkeit aufweisen.

1. Von mir gibt es kein Selbstporträt. Ich interessiere mich nicht für die eigene Person als Gegenstand des Bildes, eher für andere Menschen, vor allem weibliche, noch mehr jedoch für andere Erscheinungen. Ich bin überzeugt davon, daß ich als Person nicht extra interessant bin. An mir ist weiter nichts besonderes zu sehen. Ich bin ein Maler, der Tag um Tag, vom Morgen bis zum Abend malt. Figurenbilder und Landschaften, seltener Porträts.

2. Das gesprochene wie das geschriebene Wort ist mir nicht geläufig, schon gar nicht dann, wenn ich mich über mich oder meine Arbeit äußern soll. Schon wenn ich einen einfachen Brief schreiben soll, wird mir angst und bang wie vor drohender Seekrankheit.

Auf ein artistisches oder literarisches Selbstporträt von mir wird man aus diesem Grund verzichten müssen. Was nicht weiter zu bedauern ist. Wer über mich – als Künstler, der allein beachtenswert ist – etwas wissen will, der soll meine Bilder aufmerksam betrachten und daraus zu erkennen suchen, was ich bin und was ich will.«[16]

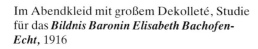

Im Abendkleid mit großem Dekolleté, Studie
für das *Bildnis Baronin Elisabeth Bachofen-Echt*, 1916

Kaiserliches Gewand, Gelbe Seide mit Stickerei. K'ang Hsi, 18. Jahrhundert

Bildnis Baronin Elisabeth Bachofen-Echt,
um 1914
Wie Monet oder van Gogh schöpft Klimt aus
der japanischen Kunst und entnimmt ihr eine
Fülle von Vögeln, Tieren und orientalischen
Personen, mit denen er seine Bilder übersät.

Bildnis Friederike Maria Beer, 1916
Man kann die Bedeutung des Einflusses der
japanischen Künstler auf den Impressionismus und den Jugendstil gar nicht hoch genug
einschätzen.

Vincent van Gogh: *Le Père Tanguy*, um 1887

Claude Monet: *La Japonaise (Camille
Monet im japanischen Kostüm)*, 1876

Alle Kunst ist erotisch

»Das erste ornament, das geboren wurde, das kreuz, war erotischen ursprungs.
Das erste kunstwerk, die erste künstlerische tat, die der erste künstler, um
seine überschüssigkeiten loszuwerden, an die wand schmierte. Ein horizontaler
strich: das liegende weib. Ein vertikaler Strich: der sie durchdringende
mann . . . Aber der mensch unserer zeit, der aus innerem drange die wände mit
erotischen symbolen beschmiert, ist ein verbrecher oder ein degenerierter . . .
Da das ornament nicht mehr organisch mit unserer kultur zusammenhängt, ist
es auch nicht mehr der ausdruck unserer kultur.«

Mit diesem unter dem Titel »Ornament und Verbrechen« veröffentlichten
Artikel, der mit dem berühmten Satz beginnt: »Alle Kunst ist erotisch«, will
Adolf Loos die »erotische Verschmutzung« stigmatisieren, deren Mißbrauch er
Klimt und den Künstlern der Wiener Werkstätte vorwirft. Klimt macht sich
über diesen Savonarola der Kunst lustig – er antwortet ihm mit seinem *Selbst-
bildnis mit Genitalien*, das einer Karikatur in Form eines Bekenntnisses gleich
kommt.

Wenn es einen Künstler gibt, dessen »ganze Kunst tatsächlich erotisch ist«,
so ist es Gustav Klimt. Die Frau ist sein ausschließliches Thema: Er malt sie
nackt oder prächtig geschmückt, in Bewegung, sitzend, stehend, liegend, in
allen Stellungen und Gebärden, selbst den geheimsten . . . Bereit zur Umarmung, in Ekstase, in lustvoller Erwartung . . . Wie Rodin, mit dem er diese
Leidenschaft der Darstellung der Frau in all ihren Stimmungen teilt, braucht er
während seiner Arbeit ständig zwei oder drei nackte Modelle in seinem Atelier,
ohne sie wirklich zu malen. Als intensiver Voyeur, als einem Sensationsrepor-
ter ähnlicher Zeichner, erfaßt er sie in der Stellung, die ihn erregt, der Bewegung, die seine Libido anspricht. Und auch uns macht er zu Voyeuren und
Komplizen, die wir das Ergebnis seiner Arbeit betrachten: einen Frauenkörper
auf einer Liege, seine ganze natürliche Sinnlichkeit und all seine geheimen
Aktivitäten enthüllend.

Von Klimt sind mehr als 3000 Zeichnungen erhalten. Nachdem man sie lange
vernachlässigt hat, werden sie heute als wesentliche Ergänzung seiner Gemälde
betrachtet. Die Zeichnungen Klimts zeigen in der Tat die Werke im Entstehen,
sie spiegeln sein tägliches Bemühen, die Wirklichkeit zu erfassen, die Planung
der Kompositionen und ihrer Varianten. Wie bei den Japanern entsteht aus der
Wechselbeziehung zwischen Gezeigtem und Verborgenem die erotische Span-
nung, die den Betrachter ergreift. Die enge Beziehung zu seinem Modell ist
häufig so deutlich, daß man beim Betrachten der Zeichnungen Klimts das
Gefühl hat, indiskret zu sein, in eine Intimsphäre einzudringen, kurz, zum

Zwei stehende Mädchenakte, 1916/17

Die Freundinnen, 1916/17
Klimt liebt die Frau und ihre Darstellung so
sehr, daß er nicht zögert, Frauenliebe zu seinem Thema zu machen, wie er es schon in
Wasserschlangen getan hat. Wenn er den
Mann malt, tut er es widerwillig und weil ihn
der Gegenstand dazu zwingt.

Sitzende von vorne, Studie zum *Bildnis Amalie Zuckerkandl*, 1917/18

Damenbildnis en face, 1917/18
An diesem unfertigen Bildnis aus seinem letzten Lebensjahr läßt sich die Arbeitsweise Klimts nachvollziehen. Bei der angelegten Figur wird zuerst das Gesicht ausgearbeitet, das dann in Dekor gekleidet wird.

Voyeur zu werden. Aber will dieser Teufelskerl uns nicht ganz einfach zu Voyeuren machen, dieser Mann, der selbst von seinen Zeichnungen sagte, sie seien eine Huldigung an »die naive und lüsterne Rasse der Hypersensiblen«, zu der er selbst gehörte?

Die Zeichnungen Klimts sind die Quintessenz der Wollust. Ihnen fehlt die Aggressivität und Verzweiflung der Zeichnungen von Schiele, der Zynismus von Picasso, die Wildheit von Toulouse-Lautrec. Seine Erotik ist mehr wie bei Ingres und Matisse verfeinert und elegant. Seine Sinnlichkeit zeugt von seinem Geschmack am dekadenten Ästhetizismus, den man ihm nicht nehmen oder verbieten kann, wie Loos es gern täte. Diese Mischung von Erotik und Ästhetizismus bleibt auch in der Darstellung der gewagtesten und provozierendsten Posen oder in der detaillierten Wiedergabe der erogenen Zonen des Körpers bestehen. Klimt ist niemals grausam oder vulgär, wenn man ihn auch der Pornographie beschuldigt hat. Der Zeichner Klimt scheint immer mit seinem Sujet zu flirten. Es ist die Zeichnung eines aufmerksamen Liebhabers, der den geliebten Körper zärtlich berührt, um ihn in jeder Stellung zu erregen, und der versucht, einen Moment der Ekstase festzuhalten, um aus ihm ein Stück Ewigkeit zu machen. Man tritt in diese Welt ein wie in einen Tempel, dessen Säulen Frauenschenkel sind, die man durchschreitet, um sich in den Himmel emporzuschwingen.

Klimt, der große »Voyeur« des Lebens, Liebhaber der Frauen und Diener des Eros, zieht es vor, die Körper seiner fleischlichen Geschöpfe zu vervielfa-

Bildnis Johanna Staude, 1917/18
In welche neue Phase seines Werkes wollte Klimt uns führen, als der Tod seine Arbeit beendete? Hätte er weiter unter dem Einfluß von Schiele gestanden und einen wilderen Erotismus entwickelt? Seine unvollendeten Arbeiten bleiben als Frage stehen.

Auch ein Blick ins Atelier mit den letzten Bildern, an denen er gearbeitet hat, offenbart die Arbeitsweise Klimts. Er arbeitete immer an mehreren Werken gleichzeitig, sie langsam mit Farben und Formen bedeckend.

chen und die Liebe der Frauen so darzustellen wie schon in *Wasserschlangen I* und *II* und noch kurz vor seinem Tod in *Die Freundinnen* (Abb. S. 82), als den Mann in seine Bilder einzulassen. Wenn er es doch tut, so wirkt es, als täte es ihm leid, wie z.B. in dem unvollendeten Gemälde *Adam und Eva* (Abb. S. 86). Auch hier ist der Mann nur Beiwerk, nicht die Hauptgestalt des Bildes. Das Gewicht liegt auf Eva, füllig wie eine wohlgenährte Wienerin. Selbst die Fleischtöne sind bei der männlichen und weiblichen Gestalt unterschiedlich, eine Technik, die der Künstler aus der antiken Vasenmalerei übernommen hat. Der Stil ist weniger dicht, die fotografisch getreue Wiedergabe ist einem Kompromiß zwischen flächiger und räumlicher Darstellung gewichen. Die Femme fatale ist zugänglicher geworden, sie ist verfügbar, sie wartet . . .

Durch seinen Tod infolge eines Schlaganfalls im Februar 1918 bleiben Werke wie das *Bildnis Johanna Staude* (Abb. S. 89) oder das berühmte Gemälde *Die Braut* (Abb. S. 91) unvollendet; durch sie können wir aber noch besser in die Welt Klimts eintreten, er hat uns im Gehen die Tür offengelassen. Man

stellt nun fest, daß die Zeichnung Klimts einem Klischee ähnelt, bevor das Bild durch die Entwicklung erkennbar wird. Der in seiner ganzen Intimität gezeichnete Akt wird erst allmählich im Entwicklungsbad wie durch Zauber oder Schamgefühl mit Farben bedeckt.

So verwirklicht das ganze Werk Klimts den ersten Teil der Rede von Loos: »Alle Kunst ist erotisch«, weist aber völlig dessen zweite Feststellung zurück, nach der »die Ornamentik ohne Beziehung zur Zivilisation« ist. Für Klimt bedeutet im Gegenteil der dekorative Überschwang eine Bereicherung der Wirklichkeit, indem er wie in dem später bei den Surrealisten so beliebten Freudschen Traum das Unbewußte in das bewußte Leben eindringen läßt. Die Schönheit der Frau, die durch die Farben und die Vergoldungen des Ästhetizismus verherrlicht wird, ermöglicht es Klimt, die Pracht eines verlorenen Paradieses wiederzuerschaffen, wo der zu so vergänglicher Blüte verdammte Mensch Momente höchsten Glücks erleben kann, bevor er wieder in den ewigen Kreislauf der Natur eingeht.

Die Braut, 1917/18
Diese vier hier zusammengestellten Gemälde sind typisch für die Arbeitsweise des späten Klimt. Bei allen wurde das Gold durch Farben ersetzt, die mit denen eines Bonnard oder eines Matisse wetteifern, die der Maler bewundert hat. Ihre wie aus der Höhe gesehene, pyramidenartige oder kaleidoskopische Komposition ist der japanischen Kunst entlehnt. Ihre Thematik ist immer noch die des Eros und des Kreislaufs des Lebens, aber die unangenehmen Aspekte sind völlig verschwunden, ebenso die dunklen Farben des Todes.

Gustav Klimt 1862–1918: Leben und Werk

1862 14. Juli, Geburt von Gustav Klimt in Baumgarten bei Wien als zweites von sieben Kindern des Edelmetallziseleurs Ernst Klimt und seiner Frau Anne Finster.

1876 Gustav Klimt tritt in die Wiener Kunstgewerbeschule ein, wo er bis 1883 Schüler von Ferdinand Laufberger und Julius Victor Berger ist.

1877 Sein jüngerer Bruder Ernst wird sein Mitschüler. Sie zeichnen gemeinsam Porträts nach Fotografien, die sie zu 6 Gulden das Stück verkaufen.

1879 Gustav, Ernst und ihr Freund Franz Matsch statten den Hof des Kunsthistorischen Museums aus.

1880 Das Trio bekommt laufend Aufträge: Vier Allegorien für die Decke des Palais Sturany in Wien. Die Decke für das Badehaus in Karlsbad, Tschechoslowakei.

1885 Ausstattung der Villa Hermes, einem beliebten Erholungsort der Kaiserin Elisabeth, nach Plänen von Hans Makart.

1886 Im Burgtheater beginnt der Stil Klimts sich von dem seines Bruders Ernst und Matschs zu unterscheiden; er entfernt sich vom Akademismus. Jeder arbeitet selbständig.

1888 Klimt erhält das Goldene Verdienstkreuz für sein künstlerisches Schaffen aus der Hand von Kaiser Franz Joseph.

1890 Ausstattung des Haupttreppenhauses im Kunsthistorischen Museum in Wien. Kaiserpreis (400 Gulden) für das Werk *Zuschauerraum im alten Burgtheater, Wien.*

1892 Klimts Vater stirbt – wie später er selbst – an einem Schlaganfall. Auch sein Bruder Ernst stirbt.

1893 Der Kultusminister verweigert die Bestätigung seiner Ernennung zum Professor an der Kunstakademie.

1894 Zusammen mit Matsch erhält er den Auftrag, die Aula der Universität auszustatten.

1895 Klimt erhält in Anvers den Großen Preis für die Ausstattung des Saales des Schloßtheaters Esterházy in Totis, Ungarn.

1897 Es kommt zur offiziellen Revolte: Klimt ist Gründungsmitglied der Gruppe der Secessionisten und wird zu ihrem Präsidenten gewählt. Er beginnt, mit seiner Freundin Emilie Flöge die Sommermonate in der

Mitglieder der Wiener Secession auf der Beethoven-Ausstellung, 1902.
Von links nach rechts: Anton Stark, Gustav Klimt, Kolo Moser (vor Klimt, mit Hut), Adolf Böhm, Maximilian Lenz (liegend), Ernst Stöhr (mit Hut), Wilhelm List, Emil Orlik (sitzend), Maximilian Kurzweil (mit Kappe), Leopold Stolba, Carl Moll (halb liegend), Rudolf Bacher

Gustav Klimt
Wien, Albertina

Klimt im Garten seines Ateliers
Wien, Albertina

Mit Malerkittel und Katze vor seinem Atelier
Wien, Bildarchiv der Österreichischen Nationalbibliothek

Gegend von Kammer am Attersee zu verbringen: erste Landschaftsbilder.

1898 Plakat für die erste Ausstellung der
Secession und Gründung der Zeitschrift
»Ver Sacrum« durch die Gruppe.

1900 Das Gemälde *Philosophie*, das auf der
Ausstellung der Secession von 87 Professoren
abgelehnt wird, erhält auf der Pariser Weltausstellung eine Goldene Medaille.

1901 Neuer Skandal auf der Ausstellung der
Secession: Diesmal richten die Abgeordneten
wegen seines Werks *Medizin* eine Anfrage an
den Erziehungsminister.

1902 Zusammentreffen mit Auguste Rodin,
der den *Beethovenfries* bewundert.

1903 Reise nach Venedig, Ravenna und
Florenz. Beginn der »goldenen Phase«. Die
Tafeln für die Aula der Universität werden in
die Österreichische Galerie gebracht. Klimt
protestiert. Klimt-Retrospektive im Gebäude
der Secession.

1904 Klimt zeichnet die Entwürfe für die
Wandmosaiken im Palais Stoclet in Brüssel,
die von der Wiener Werkstätte ausgeführt
werden.

1905 Rückkauf der Tafeln für die Aula vom
Ministerium. Klimt und seine Freunde verlassen die Secession.

1907 Lernt den jungen Egon Schiele kennen. Picasso malt *Les Demoiselles d'Avignon*.

1908 Ausstellung von 16 Gemälden in der
Kunstschau. Die Galleria d'Arte Moderna

in Rom kauft *Die drei Lebensalter* und die
Österreichische Staatsgalerie den *Kuß*.

1909 Beginn der Arbeit am Stocletfries.
Reise nach Paris, wo er mit großem Interesse
das Werk von Toulouse-Lautrec entdeckt. Er
lernt auch den Fauvismus kennen: Van Gogh,
Munch, Toorop, Gauguin, Bonnard und
Matisse werden in der Kunstschau ausgestellt.

Am Attersee, 1909
Wien, Bildarchiv der Österreichischen Nationalbibliothek

1910 Erfolgreiche Teilnahme an der
9. Biennale von Venedig.

1911 *Tod und Leben* bekommt den ersten
Preis auf der Weltausstellung in Rom. Reise
nach Florenz, Rom, Brüssel, London und
Madrid.

1912 Klimt ersetzt den Hintergrund von
Tod und Leben durch blaue Farbe (nach der
Art von Matisse).

1914 Kritik der Expressionisten an Klimts
Werk.

1915 Tod der Mutter. Die Palette Klimts
wird dunkler, seine Landschaften tendieren
zur Einfarbigkeit.

1916 Teilnahme an der Ausstellung des
Bundes Österreichischer Künstler bei der
Berliner Secession zusammen mit Egon
Schiele, Kokoschka und Faistauer. Tod von
Franz Joseph zwei Jahre vor der Auflösung
des Kaiserreichs – zwei Jahre vor Klimts Tod.

1917 Beginn der Arbeit an der *Braut* und
Adam und Eva. Wahl zum Ehrenmitglied der
Kunstakademien von Wien und München.

1918 Am 6. Februar stirbt Klimt an einem
Schlaganfall. Zahlreiche Bilder bleiben unvollendet. Ende des Kaiserreichs und
Gründung der Republik Deutsch-Österreich
und sechs weiterer aus dem Kaiserreich hervorgehender Staaten. Im selben Jahr sterben
Egon Schiele, Otto Wagner, Ferdinand
Hodler, Koloman Moser . . .

Bildlegenden

1
Studie eines Halbaktes (Detail), 1914/15
Bleistift, 56,6 x 37 cm
Zürich, Graphische Sammlung der ETH

2
Damenbildnis, 1917/18
Öl auf Leinwand, 180 x 90 cm
Linz, Neue Galerie der Stadt Linz, Wolfgang-
Gurlitt-Museum

6
Theater in Taormina, 1886–88
Mittelbild an der Decke des linken (nördlichen) Treppen-
hauses des Burgtheaters in Wien
Öl auf Stukkaturgrund, ca. 750 x 400 cm
Wien, Burgtheater

7
Fabel, 1883
Öl auf Leinwand, 84,5 x 117 cm
Wien, Historisches Museum der Stadt Wien

8
Griechische Antike II (Mädchen aus Tanagra), 1890/91
Interkolumnienbild im Treppenhaus des Kunsthistorischen
Museums in Wien
Öl auf Stukkaturgrund, ca. 230 x 80 cm
Wien, Kunsthistorisches Museum

9
Zuschauerraum im alten Burgtheater, Wien, 1888
Gouache auf Papier, 82 x 92 cm
Wien, Historisches Museum der Stadt Wien

10
Bildnis des Pianisten und Klavierpädagogen Joseph
Pembauer, 1890
Öl auf Leinwand, 69 x 55 cm
Innsbruck, Tiroler Landesmuseum Ferdinandeum

11
Damenbildnis (Porträt Frau Heymann?), um 1894
Öl auf Holz, 39 x 23 cm
Wien, Historisches Museum der Stadt Wien

12
Reinzeichnung für die Allegorie »Skulptur«, 1896
Schwarze Kreide, gewischt, Bleistift, laviert, mit Gold
gehöht, 41,8 x 31,3 cm
Wien, Historisches Museum der Stadt Wien

13 links
Reinzeichnung für die Allegorie »Tragödie«, 1897
Schwarze Kreide, gewischt, Bleistift, laviert, gold
und weiß gehöht, 41,9 x 30,8 cm
Wien, Historisches Museum der Stadt Wien

13 rechts
Entwurf für die Allegorie »Tragödie«, 1897/98
Bleistift, 45,7 x 31,5 cm
Privatsammlung

14
Die Musik, 1901
Lithographie, Maße unbekannt
Wien, Graphische Sammlung Albertina

15 links
Die Musik I, 1895
Öl auf Leinwand, 37 x 44,5 cm
München, Bayerische Staatsgemäldesammlungen

15 rechts
Die Musik II, 1898
Supraportenbild im Musikzimmer des Palais Nikolaus
Dumba in Wien, Parkring 4
Öl auf Leinwand, 150 x 200 cm
1945 im Schloß Immendorf verbrannt

16
Pallas Athene, 1898
Öl auf Leinwand, 75 x 75 cm
Wien, Historisches Museum der Stadt Wien

17 unten
Bildnis Sonja Knips, 1898
Öl auf Leinwand, 145 x 145 cm
Wien, Österreichische Galerie

18
Schubert am Klavier, 1899
Supraportenbild im Musikzimmer des Palais Nikolaus
Dumba in Wien, Parkring 4
Öl auf Leinwand, 150 x 200 cm
1945 im Schloß Immendorf verbrannt

19
Nuda Veritas, 1899
Öl auf Leinwand, 252 x 56,2 cm
Wien, Theatersammlung der Nationalbibliothek

20 links
Medizin (Kompositionsentwurf), 1897/98
Öl auf Leinwand, 72 x 55 cm
Privatsammlung

20 oben rechts
Zwei Studien eines stehenden Aktes, 1897/98
Studie für die »Medizin«, Bleistift, 38,2 x 27,9 cm
Wien, Graphische Sammlung Albertina

20 unten rechts
Fischblut, 1898
Tuschfeder, Maße und Verbleib unbekannt

21
Bewegtes Wasser, 1898
Öl auf Leinwand, 52 x 65 cm
Privatsammlung

22 oben links
Akt eines Greises mit vorgehaltenen Händen, Studie für
die »Philosophie«, 1900–07
Schwarze Kreide, 45,6 x 31,8 cm
Privatsammlung

22 unten links
Übertragungsskizze für die »Philosophie«, 1900–07
Schwarze Kreide, Bleistift, Vergrößerungsnetz,
89,6 x 63,2 cm
Wien, Historisches Museum der Stadt Wien

22 rechts
Philosophie, 1899–1907
Deckenpanneau für den Festsaal der Wiener Universität
Öl auf Leinwand, 430 x 300 cm
1945 im Schloß Immendorf verbrannt

23 links
Jurisprudenz, 1903–07
Deckenpanneau für den Festsaal der Wiener Universität
Öl auf Leinwand, 430 x 300 cm
1945 im Schloß Immendorf verbrannt

23 rechts
Übertragungsskizze für die »Jurisprudenz«, 1903–07
Schwarze Kreide, Bleistift, Vergrößerungsnetz,
84 x 61,4 cm
Privatsammlung

24 links
Übertragungsskizze für die »Medizin«, 1901–07
Schwarze Kreide, Bleistift, Vergrößerungsnetz, 86 x 62 cm
Wien, Graphische Sammlung Albertina

24 rechts
Medizin, 1900–07
Deckenpanneau für den Festsaal der Wiener Universität
Öl auf Leinwand, 430 x 300 cm
1945 im Schloß Immendorf verbrannt

25
Hygieia, (Detail aus »Medizin«), 1900–07
Siehe Abb. S. 24 rechts

26
Nach dem Regen (Garten mit Hühnern in St. Agatha),
1899
Öl auf Leinwand, 80 x 40 cm
Wien, Österreichische Galerie

27
Nixen (Silberfische), um 1899
Öl auf Leinwand, 82 x 52 cm
Wien, Zentralsparkasse der Gemeinde Wien

28 rechts
Judith I, 1901
Öl auf Leinwand, 84 x 42 cm
Wien, Österreichische Galerie

29
Judith II (Salome), 1909
Öl auf Leinwand, 178 x 46 cm
Venedig, Galleria d'Arte Moderna

30
Bildnis Gertha Felsöványi, 1902
Öl auf Leinwand, 150 x 45,5 cm
Privatsammlung

31
Bildnis Serena Lederer, 1899
Öl auf Leinwand, 188 x 83 cm
New York, The Metropolitan Museum of Art Purchase,
Catharine Lorillard Wolfe Collection, Bequest of Catha-
rine Lorillard Wolfe, by exchange, and Wolfe Fund; and
Gift of Henry Walters, Bequest of Collis P.. Huntington,
Munsey and Rogers Funds, by exchange, 1980 (1980.412)

32 rechts
Bildnis Emilie Flöge, 1902
Öl auf Leinwand, 181 x 84 cm
Wien, Historisches Museum der Stadt Wien

33
Buchenwald, 1902
Öl auf Leinwand, 100 x 100 cm
Verbleib unbekannt

34
Goldfische (An meine Kritiker), 1901/02
Öl auf Leinwand, 181 x 67 cm
Solothurn, Kunstmuseum Solothurn, Dübi-Müller-
Stiftung

35
Buchenwald I, um 1902
Öl auf Leinwand, 100 x 100 cm
Dresden, Gemäldegalerie Neue Meister – Staatliche
Kunstsammlung Dresden

36
Beethovenfries: Fries für den linken Seitensaal der Wiener
Secession anläßlich der Ausstellung der Beethovenstatue
Max Klingers, 1902
Kaseinfarbe auf Stuckgrundierung, unterlegt mit einer
Rohrschicht (Rabitzgrund), Halbedelsteineinlagen,
Höhe 220 cm, Gesamtlänge 2400 cm
Wien, Österreichische Galerie

44 links
Stehende nackte Schwangere im Profil nach links, 1904/05
Schwarze Kreide auf Packpapier, 44,8 x 31,4 cm
Wien, Historisches Museum der Stadt Wien

44 rechts
Die Hoffnung I, 1903
Öl auf Leinwand, 181 x 67 cm
Ottawa, National Gallery of Canada

45 links
Drei schwangere nackte Frauen im Profil nach links,
1903/04
Bleistift mit roter, schwarzer und blauer Kreide,
45,7 x 31,6 cm
Wien, Historisches Museum der Stadt Wien

45 rechts
Die Hoffnung II, 1907/08
Öl und Gold auf Leinwand, 110 x 110 cm
New York, Collection, The Museum of Modern Art,
Mr. and Mrs. Ronald S. Lauder und Helen Acheson
Funds and Serge Sabarsky

46 links
Kompositionsentwurf für »Wasserschlangen I«, 1903–07
Schwarze Kreide, Bleistift auf Packpapier,
51,5 x 31,6 cm
Privatsammlung

46 rechts
Wasserschlangen I (Freundinnen), 1904–07
Wasser- und Goldfarben auf Pergament, 50 x 20 cm
Wien, Österreichische Galerie

47
Wasserschlangen II (Freundinnen), 1904–07
Öl auf Leinwand, 80 x 145 cm
Privatsammlung

48 links
Die drei Lebensalter, 1905
Öl auf Leinwand, 180 x 180 cm
Rom, Galleria Nazionale d'Arte Moderna

48 rechts
Auguste Rodin:
Celle qui fut la belle Heaulmière, 1885
Bronze
Paris, Musée Rodin

49
Bildnis Margaret Stonborough-Wittgenstein, 1905
Öl auf Leinwand, 180 x 90,5 cm
München, Bayerische Staatsgemäldesammlungen

50
Bauerngarten (Blumengarten), 1905/06
Öl auf Leinwand, 110 x 110 cm
Prag, Národní Galerie

52
Birnbaum, 1903
Öl und Kasein auf Leinwand, 101 x 101 cm
Cambridge (MA), The Busch-Reisinger Museum,
Harvard University, Gift of Otto Kallir

53
Bauerngarten mit Sonnenblumen, 1905/06
Öl auf Leinwand, 110 x 110 cm
Wien, Österreichische Galerie

54
Werkvorlage zum Stocletfries, Komposition für die
Schmalwand, 1905–09
Tempera, Aquarell, Goldfarbe, Silberbronze, Kreiden,
Bleistift, Deckweiß, Blattgold und Blattsilber auf Papier,
197 x 91 cm
Wien, Österreichisches Museum für Angewandte Kunst

56 links
Die Erwartung, Werkvorlage zum Stocletfries,
um 1905–09
Tempera, Aquarell, Goldfarbe, Silberbronze, Kreiden,
Bleistift, Deckweiß, Blattgold und Blattsilber auf Papier,
193 x 115 cm
Wien, Österreichisches Museum für Angewandte Kunst

56 rechts
Die Erfüllung, Werkvorlage zum Stocletfries,
um 1905–09
Tempera, Aquarell, Goldfarbe, Silberbronze, Kreiden,
Bleistift, Deckweiß, Blattgold und Blattsilber auf Papier,
194 x 121 cm
Wien, Österreichisches Museum für Angewandte Kunst

57
Der königliche Schreiber Ptahmose, XIX. Dynastie
Leyden, Museum Leyden

58
Lebensbaum, mittlerer Teil, Werkvorlage zum Stoclet-
fries, um 1905–09
Tempera, Aquarell, Goldfarbe, Silberbronze, Kreide,
Bleistift, Deckweiß, Blattgold und Blattsilber auf Papier,
195 x 102 cm
Wien, Österreichisches Museum für Angewandte Kunst

59
Klimt und Emilie Flöge
Wien, Bildarchiv der Österreichischen Nationalgalerie

60
Diego Velázquez:
Infantin Maria Teresa, um 1652
Öl auf Leinwand, Maße unbekannt
Wien, Kunsthistorisches Museum der Stadt Wien

61
Bildnis Fritza Riedler, 1906
Öl auf Leinwand, 153 x 133 cm
Wien, Österreichische Galerie

62
Bildnis Adele Bloch-Bauer I, 1907
Öl, Gold auf Leinwand, 138 x 138 cm
Wien, Österreichische Galerie

63
Der Kuß, 1907/08
Öl auf Leinwand, 180 x 180 cm
Wien, Österreichische Galerie

64
Danae, 1907/08
Öl auf Leinwand, 77 x 83 cm
Privatsammlung

65 oben
Egon Schiele:
Entwurf für »Danae«, 1909
Kreide und Bleistift, 30,6 x 44,3 cm
Wien, Graphische Sammlung Albertina

65 Mitte
Kauernder Halbakt nach rechts, Entwurf für »Leda«,
1913/14
Bleistift, 36,8 x 56 cm
Wien, Sammlung Dr. Rudolf Leopold

65 unten
Leda, 1917
Öl auf Leinwand, 99 x 99 cm
1945 im Schloß Immendorf verbrannt

66
Bildnis Mäda Primavesi, um 1912
Öl auf Leinwand, 150 x 110,5 cm
New York, The Metropolitan Museum of Art, Gift of
Andre and Clara Mertens, in memory of her mother,
Jenny Pulitzer Steiner, 1964. (64.148)

67
Kompositionsskizze, die Mäda darstellt, aus dem Besitz
von Emilie Flöge, 1913
Technik, Maße und Verbleib unbekannt

68
Dame mit Hut und Federboa, 1909
Öl auf Leinwand, 69 x 55 cm
Wien, Österreichische Galerie

69
Der schwarze Federhut (Dame mit Federhut), 1910
Öl auf Leinwand, 79 x 63 cm
Privatsammlung

70
Tod und Leben, 1916
Öl auf Leinwand, 178 x 198 cm
Wien, Sammlung Dr. Rudolf Leopold

71
Die Jungfrau, 1913
Öl auf Leinwand, 190 x 200 cm
Prag, Národní Galerie

72
Die Tänzerin, um 1916–18
Öl auf Leinwand, 180 x 90 cm
Privatsammlung

73 oben links
Die Sonnenblume, 1906/07
Öl auf Leinwand, 110 x 110 cm
Privatsammlung

73 oben rechts
Apfelbaum I, um 1912
Öl auf Leinwand, 110 x 110 cm
Wien, Österreichische Galerie

73 unten links
Bauerngarten mit Kruzifix, 1911/12
Öl auf Leinwand, 110 x 110 cm
1945 im Schloß Immendorf verbrannt

73 unten rechts
Mohnwiese, 1907
Öl auf Leinwand, 110 x 110 cm
Wien, Österreichische Galerie

74 links
Forsthaus in Weißenbach am Attersee, 1912
Öl auf Leinwand, 110 x 110 cm
Privatsammlung

74 rechts
Schloß Kammer am Attersee III, 1910
Öl auf Leinwand, 110 x 110 cm
Wien, Österreichische Galerie

75
Schloß Kammer am Attersee I, um 1908
Öl auf Leinwand, 110 x 110 cm
Prag, Národní Galerie

76 links
Kirche in Cassone (Landschaft mit Zypressen), 1913
Öl auf Leinwand, 110 x 110 cm
Graz, Privatsammlung

76 rechts
Frau mit Hut und Tasche, rechts Wiederholung der Figur,
Studie zum »Bildnis Adele Bloch-Bauer II«, 1911
Bleistift, 56,7 x 37,2 cm
Wien, Graphische Sammlung Albertina

77
Bildnis Adele Bloch-Bauer II, 1912
Öl auf Leinwand, 190 x 120 cm
Wien, Österreichische Galerie

78 rechts
Bildnis Eugenia Primavesi, um 1913/14
Öl auf Leinwand, 140 x 84 cm
USA, Privatsammlung

79
Gartenweg mit Hühnern, 1916
Öl auf Leinwand, 110 x 110 cm
1945 im Schloß Immendorf verbrannt

80 oben links
Im Abendkleid mit großem Dekolleté,
Studie für »Bildnis Baronin Bachofen-Echt«, 1916
Bleistift, 48,5 x 27,5 cm
Linz, Neue Galerie der Stadt Linz

80 rechts
Bildnis Baronin Elisabeth Bachofen-Echt, um 1914
Öl auf Leinwand, 180 x 128 cm
Privatsammlung

81 links
Bildnis Friederike Maria Beer, 1916
Öl auf Leinwand, 168 x 130 cm
Privatsammlung

81 oben rechts
Vincent van Gogh:
Le Père Tanguy, um 1887
Öl auf Leinwand, 92 x 73 cm
Paris, Musée Rodin

81 unten rechts
Claude Monet:
La Japonaise (Camille Monet im japanischen Kostüm),
1876
Öl auf Leinwand, 231 x 142 cm
Boston (MA), Courtesy Museum of Fine Arts,
1951 Purchase Fund

82
Die Freundinnen, 1916/17
Öl auf Leinwand, 99 x 99 cm
1945 im Schloß Immendorf verbrannt

83
Zwei stehende Mädchenakte, 1916/17
Technik, Maße und Besitzer unbekannt

84 oben
Liebespaar nach rechts, 1914
Bleistift, 37,3 x 55,9 cm
Verbleib unbekannt

84 unten
Sitzender Halbakt mit geschlossenen Augen, 1913
Bleistift, 56,6 x 37,1 cm
Wien, Historisches Museum der Stadt Wien

85 oben
Liegender Halbakt nach rechts, 1914/15
Blauer Farbstift, 37,1 x 55,8 cm
Wien, Historisches Museum der Stadt Wien

85 unten
Zurückgelehnt sitzender Halbakt, 1913
Bleistift, 55,9 x 37,3 cm
Wien, Historisches Museum der Stadt Wien

86 oben
Adam und Eva (unvollendet), 1917/18
Öl auf Leinwand, 173 x 60 cm
Wien, Österreichische Galerie

87
Sitzende Frau mit gespreizten Schenkeln, 1916/17
Bleistift, roter Farbstift, weiß gehöht, 57 x 37,5 cm
Privatsammlung

88 links
Damenbildnis en face (unvollendet), 1917/18
Öl auf Leinwand, 67 x 56 cm
Linz, Neue Galerie der Stadt Linz, Wolfgang-
Gurlitt-Museum

88 rechts
Sitzende von vorne, Studie zum »Bildnis Amalie
Zuckerkandl«, 1917/18
Bleistift, 57 x 38 cm
Wien, Graphische Sammlung Albertina

89
Bildnis Johanna Staude (unvollendet), 1917/18
Öl auf Leinwand, 70 x 50 cm
Wien, Österreichische Galerie

91
Die Braut (unvollendet), 1917/18
Öl auf Leinwand, 166 x 190 cm
Privatsammlung

92 unten rechts
Foto: Anonym
Wien, Graphische Sammlung Albertina

Anmerkungen

1 zitiert nach: Bertha Zuckerkandl-Szeps, Eine reinliche
  Scheidung soll es sein, in: Neues Wiener Journal vom
  2. Mai 1931
2 in: Katalog zur ersten Secession in Wien, Wien 1898
3 in: Offizieller Katalog der 9. Ausstellung der Secession,
  Wien 1900
4 in: Carl E. Schorske, Wien – Geist und Gesellschaft im
  Fin de siècle, Frankfurt am Main 1982
5 in: Bertha Zuckerkandl-Szeps, Einiges über Klimt, in:
  Volkszeitung vom 6. Februar 1936; auch bei: Christian
  M. Nebehay, Gustav Klimt – Sein Leben nach zeitgenös-
  sischen Berichten und Quellen, München 1979, S. 174
6 in: Ludwig Hevesi, Christian M. Nebehay, a.a.O.,
  S. 170f.
7 Carl E. Schorske, a.a.O., S. 208f.
8 in: Katalog der 14. Ausstellung der Wiener Secession,
  1902
9 in: Ludwig Hevesi, Weiteres über Klimt (12. August
  1908), in: Altkunst – Neukunst, Wien 1894–1908, Wien
  1909
10 Josef Hoffmann, Kultur und Architektur, 1930
11 ebd.
12 in: Katalog der Kunstschau 1908, Wien 1908; auch bei:
  Christian M. Nebehay, a.a.O., S. 244
13 Ludwig Hevesi, Acht Jahre Secession, Kritik – Polemik
  – Chronik, Wien 1906, Reprint 1985
14 Bertha Zuckerkandl-Szeps, Einiges über Klimt, in:
  Volkszeitung vom 2. Juni 1936; auch bei: Christian M.
  Nebehay, a.a.O., S. 254
15 Joseph Roth, Die Kapuzinergruft, Köln 1987, S. 15
16 Christian M. Nebehay (Hrsg.), Gustav Klimt, Doku-
  mente, Wien 1969

Der Verlag dankt den Museen, Galerien, Sammlern
und Fotografen, die uns bei diesem Buch unterstützt
haben. Neben den in den Legenden genannten Personen und Institutionen seien des weiteren aufgeführt:
Artothek, Peissenberg (15 links, 48 links, 49); Archiv
für Kunst und Geschichte, Berlin (29, 82); L. Bezzola,
Bätterkinden (34); Bruno Jarret/ADAGP, Paris (81
oben rechts); Jürgen Karpinski, Dresden (35); Erich
Lessing, Archiv für Kunst und Geschichte, Berlin (21);
Reinhard Öhner, Wien (6); Fotostudio Otto, Wien (28
rechts, 36, 38, 39, 40 oben, 41, 42, 43, 46 rechts, 53, 61,
62, 63, 73 oben rechts, 73 unten rechts, 74 rechts);
Jochen Remmer, Artothek, Peissenberg (75); Hans
Riha, Wien (37); Galerie Welz, Salzburg (18, 20 links,
25, 47, 73 oben links, 73 unten links, 78 rechts, 79, 80
rechts, 81 links, 82, 91).

In dieser Reihe:

- Arcimboldo
- Bosch
- Botticelli
- Bruegel
- Cézanne
- Chagall
- Christo
- Dalí
- Degas
- Delaunay
- Duchamp
- Ernst
- Gauguin
- van Gogh
- Grosz
- Hopper
- Kahlo
- Kandinsky
- Klee
- Klein
- Klimt
- Lempicka
- Lichtenstein
- Macke
- Magritte
- Marc
- Matisse
- Miró
- Mondrian
- Monet
- Munch
- O'Keeffe
- Picasso
- Redon
- Rembrandt
- Renoir
- Rousseau
- Schiele
- von Stuck
- Toulouse-Lautrec
- Turner
- Vermeer
- Warhol